저희 아들은 『똑똑한 하루 독해』를 푸는 동안에
정말 멈출 수 없는 흥미로움과 재미에 빠져 있었습니다.
'더 하고 싶어. 더 풀고 자면 안 돼?'라는 말을 많이 듣게 해 준 독해서예요.
정말 즐겁게 잘 풀어 준 교재라 저는 더할 나위 없이 좋았네요.
다시 한 번 더 정말 너무너무 감사드리고 『똑똑한 하루 독해』를 빨리 만나 보고 싶어요.

– 『똑똑한 하루 독해』 검토단 이은주(초등학교 3학년 학생 부모님)

#홈스쿨링
#혼자공부하기

똑똑한
하루 독해

Chunjae
Makes
Chunjae

▼

[똑똑한 하루 독해] 2단계 B

기획총괄 박진영
편집개발 전종현, 이재인, 김민숙, 김효진,
           백경민, 박지윤, 박지영
디자인총괄 김희정
표지디자인 윤순미, 안채리
내지디자인 박희춘, 임용준
제작 황성진, 조규영

발행일 2021년 11월 15일 2판 2023년 11월 15일 3쇄
발행인 ㈜천재교육
주소 서울시 금천구 가산로9길 54
신고번호 제2001-000018호
고객센터 1577-0902

2단계 B 공부할 내용 한눈에 보기!

똑똑한 하루 독해를 함께 할 친구들을 소개합니다.

지구의 문화를 알려 주는 글을 잘 이해하고 싶어 지구별로 놀러 온 외계인 토토와 랑랑! 어쩐지 외계인의 초능력이 통하지 않는 지찬이와, 랑랑과 같은 아이돌 그룹을 좋아하는 수아를 만나 독해력을 키워 나가기로 했어요.

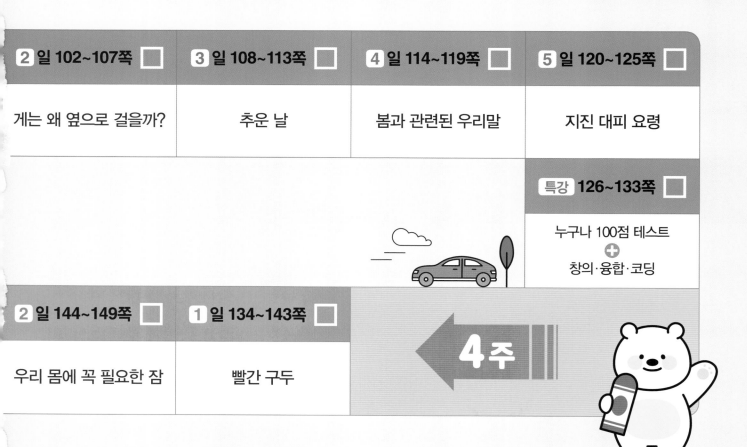

똑똑한 하루 독해
2단계 B
스케줄표

1주

5 일 78~83쪽 ☐	4 일 72~77쪽 ☐	3 일 66~71쪽 ☐	2 일 60~65쪽 ☐
층간 소음, 서로 양보하면 줄일 수 있어요	동물원은 없어져야 한다	미다스 왕	파리는 용서를 빌려고 다리를 비빌까?

특강 84~91쪽 ☐
누구나 100점 테스트 ✚ 창의·융합·코딩

3주

1 일 92~101쪽 ☐
의좋은 형제

멋져! 한 권을 모두 끝냈구나.

특강 168~175쪽 ☐	5 일 162~167쪽 ☐	4 일 156~161쪽 ☐	3 일 150~155쪽 ☐
누구나 100점 테스트 ✚ 창의·융합·코딩	제4회 벚꽃 축제	칠교놀이를 해요	파란 마음 하얀 마음

지찬

수아

지구의 음식 문화를 사랑하는 토토와 지구의 아이돌 그룹을 사랑하는 랑랑! 두 외계인이 지구의 두 아이와 함께 때로는 사이좋게, 때로는 티격태격 시간을 보내며 독해력을 키워 나가는 모습을 지켜봐 주세요.

What? 독해? 독해!
독해가 뭐예요?

하나!

다들 '독해, 독해' 하는데 독해가 뭐예요?

글자를 읽기만 하는 게 아니라
진짜 이해하여 내 지식으로 만드는 것이 독해예요!

둘!

그럼 독해는 국어인가요?

독해는 그냥 국어만이 아니에요. 읽고 이해하는 독해가 안되면 수학 문제도 풀 수 없어요. 이처럼 독해는 모든 과목 공부를 잘하기 위한 기초랍니다. 독해를 통해 모든 과목의 지식을 내 것으로 만드는 방법을 배워야 해요.

셋!

글 읽고 문제만 계속 풀면 독해 공부가 되나요?

무조건 글 읽고 문제만 푼다고 독해 공부가 잘될 리 없지요. 『똑똑한 하루 독해』로 공부해 보세요. 먼저 어휘를 익히고 시나 이야기뿐만 아니라 수학, 사회, 과학, 역사, 예술은 물론 생활 속 글까지 다양하게 읽어 보세요. 그리고 어휘 심화 문제와 게임으로 실력을 다져요. 이해도 쏙쏙 되고 지루할 틈이 없겠지요?

진짜 똑똑한 독해를 시작해 볼까요?

이 책의 특징과 장점

똑똑한 하루 독해로 똑똑해지자!

뭐 이렇게 독해책이 많아?

모르는구나? 요즘 독해가 대세야!

독해를 잘해야 국어뿐만 아니라 다른 과목 문제를 풀 때에도 요점을 잘 짚어 이해하고 풀 수 있다고.

독해는 어휘가 기본인데, 이 책은 어휘가 너무 부족해.

이 책은 너무 글만 가득해서 어렵고 지루해. 벌써 졸려!

이 책은 몽땅 교과서 글만 있잖아. 난 다양한 글을 읽고 싶은걸.

Why? 똑똑한 하루 독해!

왜 똑똑한 하루 독해일까요?

1 **10분이면 하루 독해 끝!** 쉽고 재미있는 독해 공부!

2 **어휘로 준비하고 어휘로 마무리!** 어휘력 쑥! 독해력 쑤욱!

3 **'문학·비문학·실생활' 알짜 지문!** 하루하루 다양하고 즐거운 독해!

4 **독해 최초 생활 속 독해, 생활 어휘, 생활 한자!** 생활 맞춤 실용 독해 완성!

5 **똑똑한 독해 게임으로 사고력 넓히기!** 창의·융합 독해력 팍팍!

이 책의
구성과 활용

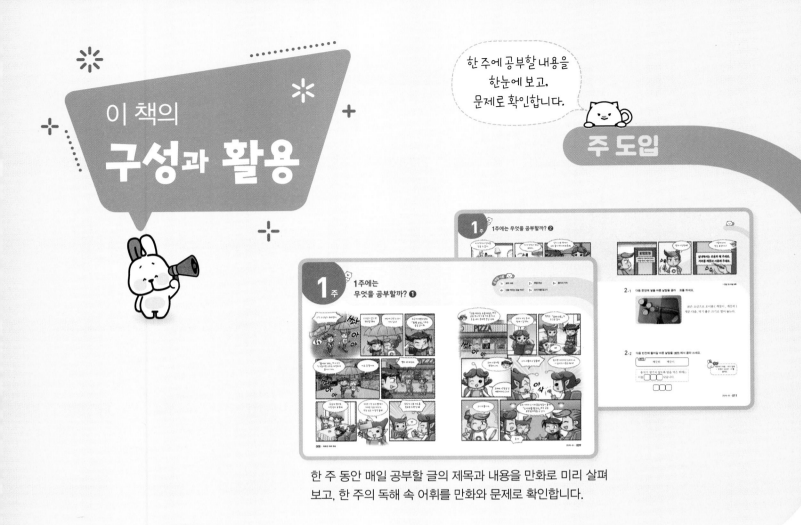

한 주에 공부할 내용을
한눈에 보고,
문제로 확인합니다.

주 도입

한 주 동안 매일 공부할 글의 제목과 내용을 만화로 미리 살펴
보고, 한 주의 독해 속 어휘를 만화와 문제로 확인합니다.

독해 코스

독해 개념과 필수 어휘 미리 익히기

재미있는 만화로 학습 목표와 핵심 독해 개념을
익히고, 지문 속 핵심 어휘를 간단한 문제로 미리
익히며 독해를 준비합니다.

QR 코드를 찍으면
다양한 학습 자료를
보고 들을 수 있어요.

실전 독해와 다양한 유형의 핵심 문제 풀기

여러 영역의 글을 읽고 다양한 유형의 문제로 독해를 완성합니다. 서술형 문제로
쓰기 연습을 해 보고, '스스로 독해 해결!' 문제로 자기 주도 학습 능력을 키웁니다.

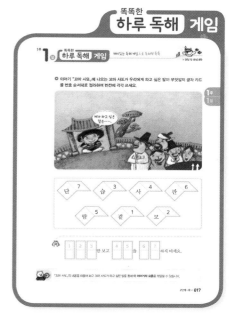

어휘 문제로 마무리하기

글에 쓰인 어휘를 문제로 다시 한번 확인하고 비슷한말, 반대말 등 관련 어휘 학습으로 어휘력을 넓힙니다.

게임으로 독해력 넓히기

재미있는 독해 게임으로 독해력을 넓히고 하루의 독해 학습을 마무리합니다.

누구나 100점 테스트와 주 특강으로 한 주의 독해를 마무리해 봅니다.

주 마무리

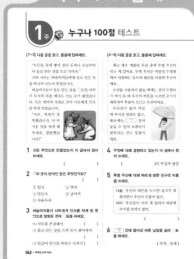

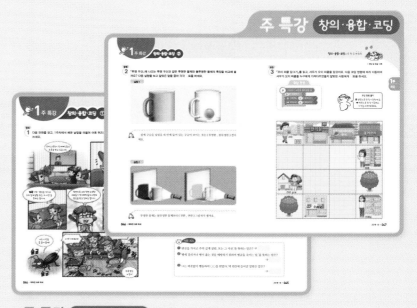

누구나 100점 테스트

한 주 동안 공부한 내용을 평가해 보며 독해 실력을 확인하고, 독해에 대한 자신감을 키웁니다.

주 특강 창의·융합·코딩

다양한 형식의 창의·융합·코딩 미션을 해결하며 한 주의 중요 어휘를 확인하고 다양한 배경지식을 넓힙니다.

친구들과 약속해요!

우리 같이 약속해요!

첫째, 하루하루 빠짐없이 꾸준히 공부하기!

둘째, 하루 독해 문제 끝까지 다 풀기!

셋째, 틀린 문제는 왜 틀렸는지 다시 한번 확인하기!

약속하는 사람 _____

쉽고 재미있는
『똑똑한 하루 독해』로
독해 공부를 시작해 봐요.

똑 똑 한

하루
독해

DUMI

단계
2
B
1~2학년

1주

1주에는 무엇을 공부할까? ❶

1주에는 무엇을 공부할까? ②

1-1 다음 문장에 넣을 바른 낱말을 골라 ◯표를 하세요.

평소에는 (작게 , 적게) 접어 놓을 수 있어 보관하기 편하다는 것도 장점이에요.

1-2 다음 친구가 쓴 문장 에서 밑줄 그은 낱말을 바르게 고쳐 쓰세요.

친구가 쓴 문장

동생이 글씨를 너무 <u>적게</u> 써서 글씨가 잘 보이지 않았다.

힌트 '작게'는 '크기가 보통보다 덜하게.'라는 뜻이에요.

적 게 ➡ ☐☐

▶ 정답 및 해설 8쪽

2-1 다음 문장에 넣을 바른 낱말을 골라 ◯표를 하세요.

굵은 소금으로 오이를 (깨끗이 , 깨끗히)
씻은 다음, 먹기 좋은 크기로 썰어 놓는다.

2-2 다음 빈칸에 들어갈 바른 낱말을 보기 에서 골라 쓰세요.

보기

깨끗히   깨끗이

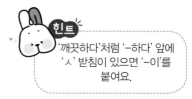
힌트

'깨끗하다'처럼 '–하다' 앞에
'ㅅ' 받침이 있으면 '–이'를
붙여요.

충치가 생기지 않도록 밥을 먹은 뒤에는
이를 ☐☐☐ 닦습니다.

☐☐☐

1일

이야기 (문학)

꼬마 사또

공부한 날   월   일

일어난 일을 원인과 결과로 나누어 정리해 보자!

이야기 「꼬마 사또」를 읽고 일어난 일을 원인과 결과로 나누어 정리해 보세요.

어떤 일이 일어난 까닭이 원인이고, 원인 때문에 일어난 일이 결과예요.

일어난 일을 원인과 결과로 나누어 정리하면 이야기의 내용을 이해하기 쉬워요.

● 오늘 공부할 글과 그림을 미리 보고, 알맞은 낱말을 각각 찾아 표시하세요.

벼슬아치들이 돌로 만든 갓을 쓰자 머리가 무거워 목을 제대로 가눌 수가 없었습니다. 목은 꺾어져 저절로 꼬마 사또에게 인사를 하게 되었습니다.

1 '옛날, 나랏일을 맡아보던 사람.'이라는 뜻의 낱말을 찾아 ○표를 하세요.

2 '마을을 다스리는 벼슬아치 중 가장 높은 사람을 부르던 말.'이라는 뜻의 낱말을 찾아 △표를 하세요.

「꼬마 사또」 전체 이야기 듣기

꼬마 사또

스스로 독해

꼬마 사또와 벼슬아치들에게 어떤 일이 일어났나요? 점선 부분을 따라 선을 그으며 읽고 원인과 결과로 나누어 정리해 보세요.

◯ 이 지나자 꼬마 사또가 주문한 돌로 만든 갓이 완성되었습니다. 사또는 벼슬아치들을 모두 불러 모았습니다.

"모두들 목에 병이 걸린 듯하니 오늘부터 이 돌로 만든 갓을 쓰고 다녀라."

꼬마 사또는 벼슬아치들에게 돌로 만든 갓을 하나씩 나누어 주었습니다.

벼슬아치들이 돌로 만든 갓을 쓰자 머리가 무거워 목을 제대로 가눌 수가 없었습니다. 목은 꺾어져 저절로 꼬마 사또에게 인사를 하게 되었습니다.

"사또, 저희가 잘못했습니다. 이 무거운 갓을 벗게 해 주세요. 잘못했습니다!"

벼슬아치들은 꼬마 사또가 돌로 만든 갓을 씌운 까닭을 깨닫고 손이 발이 되도록 빌었습니다.

"좋다, 이번에는 특별히 용서해 주마."

어휘 풀이

▼ **사또** 마을을 다스리는 벼슬아치 중 가장 높은 사람을 부르던 말.
　예 그는 백성들을 위해 일하는 훌륭한 사또였다.

▼ **갓** 옛날, 어른이 된 남자가 머리에 쓰던 모자의 한 가지.

▼ **벼슬아치** 옛날, 나랏일을 맡아보던 사람. 예 그는 높은 벼슬아치가 되었다.

▼ **가눌** 자세를 바르게 가질. 예 내 동생은 아직 아기라 목을 가눌 수 없다.

▲ 갓

1
어휘

ㄱ 안에 들어갈 알맞은 말을 골라 ○표를 하세요.

(며칠 , 몇일)

2
이해

서술형

꼬마 사또가 벼슬아치들을 혼내 주기 위해 어떻게 하였는지 쓰세요.

꼬마 사또는 벼슬아치들에게 ＿＿＿＿＿＿＿＿＿＿＿＿＿＿＿＿＿ 을
쓰고 다니라고 하였다.

3
유추

이 글에 나타난 꼬마 사또의 성격은 어떠한가요? (   )

① 똑똑하다.

② 심술궂다.

③ 장난이 심하다.

④ 남에게 잘 베푼다.

⑤ 이해심이 부족하다.

힌트
꼬마 사또는 벼슬아치들에게 돌로 만든 갓을
쓰게 하여 스스로 잘못을 깨닫도록 했어요.

4
요약

스스로 독해 해결!

이 이야기에서 일어난 일을 원인과 결과로 나누어 정리하여 빈칸에 알맞은 말을
각각 쓰세요.

원인		결과
벼슬아치들이 꼬마 사또에게 인사를 안 했다.	→	꼬마 사또가 벼슬아치들에게 ❶ ⬜ 로 만든 갓을 쓰게 했다.
벼슬아치들이 자신들의 잘못을 깨닫고 용서를 빌었다.	→	❷ ⬜⬜⬜⬜ 가 벼슬아치들을 용서해 주었다.

힌트
벼슬아치들은 꼬마 사또가 나누어 준 갓을 쓰고
저절로 꼬마 사또에게 인사를 하게 되었죠.

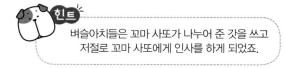

▶ 정답 및 해설 8쪽

1 다음 그림 중 '갓'을 쓰고 있는 사람이 나오는 그림을 골라 ◯표를 하세요.

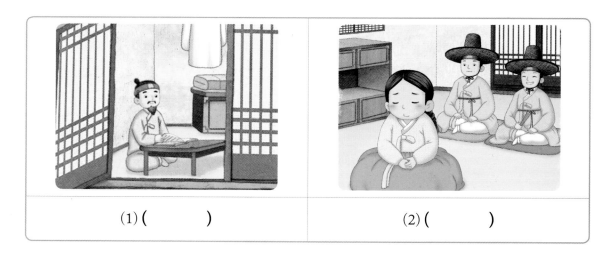

(1) ( )	(2) ( )

2 다음 「꼬마 사또」에 쓰인 문장에서 밑줄 그은 낱말과 뜻이 비슷한 말과 뜻이 반대인 말을 보기 에서 각각 찾아 빈칸에 쓰세요.

보기
> 벗자
> 착용하자

> 벼슬아치들이 돌로 만든 갓을 <u>쓰자</u> 머리가 무거워 목을 제대로 가눌 수가 없었습니다.

(1) 뜻이 비슷한 말:

(2) 뜻이 반대인 말:

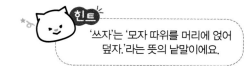

힌트
'쓰자'는 '모자 따위를 머리에 얹어 덮자.'라는 뜻의 낱말이에요.

3 다음 「꼬마 사또」에 쓰인 문장에서 밑줄 그은 부분의 뜻으로 알맞은 것을 골라 ◯표를 하세요.

> 벼슬아치들은 꼬마 사또가 돌로 만든 갓을 씌운 까닭을 깨닫고 <u>손이 발이 되도록</u> 빌었습니다.
> "좋다, 이번에는 특별히 용서해 주마."

(1) 소원을 들어 달라고 간절히 빌었습니다. (   )

(2) 잘못을 용서하여 달라고 간절히 빌었습니다. (   )

◉ 이야기 「꼬마 사또」에 나오는 꼬마 사또가 우리에게 하고 싶은 말이 무엇일지 글자 카드를 번호 순서대로 정리하여 빈칸에 각각 쓰세요.

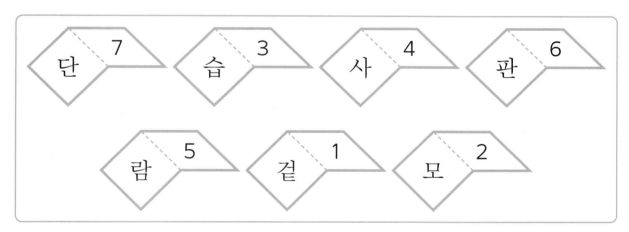

| 단 7 | 습 3 | 사 4 | 판 6 |
| 람 5 | 겉 1 | 모 2 | |

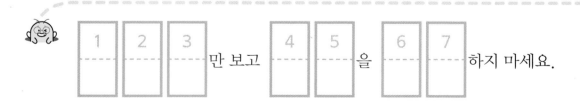

| 1 | 2 | 3 | 만 보고 | 4 | 5 | 을 | 6 | 7 | 하지 마세요. |

「꼬마 사또」의 내용을 떠올려 보고 꼬마 사또가 하고 싶은 말을 통해 **이 이야기의 교훈**을 깨달을 수 있습니다.

투명 우산

공부한 날   월   일

설명하는 대상의 특징을 정리해 보자!

「투명 우산」을 읽고 투명 우산의 특징을 정리해 보세요.

설명하는 대상이 무엇인지 찾은 다음, 어떤 점을 설명하고 있는지

찾으면 설명하는 대상의 특징을 정리할 수 있답니다.

● 오늘 공부할 글과 그림을 미리 보고, 알맞은 낱말을 각각 찾아 표시하세요.

무엇보다 이 우산에 사용된 소재는 미래형 소재로 주목받고 있는 고어텍스인데, 잘 늘어나는 것은 물론 강도도 뛰어나서 투명하게 만드는 것도 가능하다고 해요.

1 '센 정도.'라는 뜻의 낱말을 찾아 ◯표를 하세요.

2 '관심을 가지고 주의 깊게 살핌. 또는 그 시선.'이라는 뜻의 낱말을 찾아 △표를 하세요.

우산을 소재로 한
명화 감상하기

투명 우산

스스로 독해

투명 우산의 특징은 무엇인가요? 점선 부분을 따라 선을 그으며 읽고 답을 생각해 보세요.

최근 새로 개발된 우산 중에 투명 우산이라는 게 있어요. 투명 우산은 여름철 수영장에서 사용하는 튜브의 원리를 이용한 우산이에요.

우산을 사용하지 않을 때에는 접어 두었다가 비가 올 때 우산의 버튼을 누르면 공기가 채워지며 부풀어 오르는 우산이지요.

우산살이 없어 바람에 부서질 염려도 없고, 평소에는 작게 접어 놓을 수 있어 보관하기 편하다는 것도 장점이에요. 무엇보다 이 우산에 사용된 소재는 미래형 소재로 주목받고 있는 고어텍스인데, 잘 늘어나는 것은 물론 강도도 뛰어나서 투명하게 만드는 것도 가능하다고 해요.

버튼

버튼을 누르면 공기 펌프가 작동해 고어텍스에 공기가 채워지기 시작함.

투명한 상태로 우산을 사용하고, 버튼을 다시 누르면 우산의 공기가 빠짐.

어휘 풀이

▼ **개발**|열 개 開, 필 발 發| 새로운 물건을 만들거나 새로운 생각을 내어놓음. 예 신제품이 개발됐다.

▼ **염려**|생각할 염 念, 생각할 려 慮| 앞일에 대하여 여러 가지로 마음을 써서 걱정함. 또는 그런 걱정.
예 엄마께 염려를 끼쳐 죄송했다.

▼ **소재**|흴 소 素, 재목 재 材| 어떤 것을 만드는 데 바탕이 되는 재료. 예 새로운 소재 개발이 필요하다.

▼ **주목**|물 댈 주 注, 눈 목 目| 관심을 가지고 주의 깊게 살핌. 또는 그 시선. 예 그의 말은 주목을 끌었다.

▼ **강도**|강할 강 强, 법도 도 度| 센 정도. 예 선수들은 강도 높은 훈련 중이었다.

1
어휘

㉠과 ㉡ 중 우산살에 해당하는 부분은 어디인지 기호를 쓰세요.

( )

힌트
우산살은 천, 종이, 비닐 따위로 된 우산의
덮개 부분을 얽어 받치는 뼈대를 말해요.

1주
2일

2
이해

투명 우산에 대한 설명으로 알맞지 <u>않은</u> 것은 무엇인가요? ( )

① 최근 새로 개발됐다.

② 고어텍스로 만들었다.

③ 여름철에만 사용할 수 있다.

④ 수영장에서 사용하는 튜브의 원리를 이용했다.

⑤ 비가 올 때 우산의 버튼을 누르면 공기가 채워지며 부풀어 오른다.

3
이해

서술형

투명 우산이 바람에 부서질 염려가 없는 까닭은 무엇인지 쓰세요.

_____ 바람에 부서질 염려가 없다.

4
요약

스스로 독해 해결!

이 글에서 중요한 내용을 정리하여 빈칸에 알맞은 말을 각각 쓰세요.

투명 우산의 소재	잘 늘어나고 강도도 뛰어나서 투명하게 만드는 것이 가능한 ❶ ⬜⬜⬜⬜ 이다.
투명 우산의 장점	• 우산살이 없어 바람에 부서질 염려가 없다. • 평소에는 작게 접어 놓을 수 있어 ❷ ⬜⬜ 하기 편하다.

1 보기 와 같이 '불' 자를 넣어 다음 낱말과 뜻이 반대인 말을 각각 만들어 보세요.

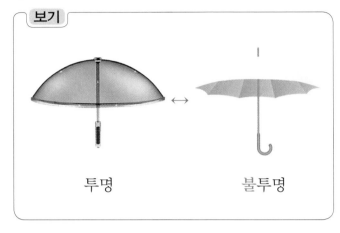

보기
투명 ↔ 불투명

(1) 가능 ↔

(2) 만족 ↔

(3) 완전 ↔

(4) 합격 ↔

힌트

'불(아닐 불 不)' 자는 '아님, 아니함, 어긋남'의 뜻을 더하는 말이에요.

2 다음 문장의 밑줄 그은 낱말과 뜻이 비슷한 말을 보기 에서 각각 찾아 쓰세요.

보기
강점   걱정   약점   재료

(1) 투명 우산은 우산살이 없어 부서질 <u>염려</u>가 없어요.

(2) 투명 우산은 평소에는 작게 접어 놓을 수 있어 보관하기 편하다는 것이 <u>장점</u>이에요.

(3) 투명 우산의 <u>소재</u>는 미래형 소재로 주목받고 있는 고어텍스예요.

◉ 우산이 없어 비를 맞고 갈 때 조금이라도 비를 덜 맞으려면 어떻게 해야 할까요? 다음 만화를 잘 읽고 문장에 알맞은 말을 골라 ◯표를 하세요.

1주
2일

 우산 없이 갈 때 비를 덜 맞는 방법은 (지그재그로 가는 , 빨리 달리는) 것이다.

 「투명 우산」의 내용을 떠올려 보고 **우산 없이 갈 때 비를 덜 맞는 방법**과 **그 까닭**은 무엇인지 알아봅니다.

3 _일

동시 (문학)

붙어서 가자

공부한 날　　　　월　　　　일

시를 읽고 떠오르는 장면을 말해 보자!

동시 「붙어서 가자」를 읽고 떠오르는 장면을 말해 보세요.

시를 읽으며 전체적인 시의 느낌과 분위기, 내용 등을 생각해 보면

떠오르는 장면을 말할 수 있을 거예요.

◉ 오늘 공부할 글의 그림을 미리 보고, 빈칸에 알맞은 낱말을 각각 찾아 쓰세요.

가랑비　　소나기　　나란히　　삐뚜로

---

❶ ☐☐☐ 가 내리는 날, 좋아하는 친구와 함께 우산 하나를 나누어

> 가늘게 내리는 비.

쓰고 ❷ ☐☐☐ 걸어 본 적이 있나요? 자신의 경험을 떠올리며 시를 읽

> 여럿이 줄지어 늘어선 모양이 가지런한 상태로.

어 보아요.

동시
「붙어서 가자」
듣기

붙어서 가자

이종택

스스로 독해

시의 점선 부분을 따라 선을 그으며 읽고 떠오르는 장면을 말해 보세요.

가랑비가 멎었다.
내 짝하고
학교에서 돌아가는 길

비는 멎었지만
우산은 접지 말고
붙어서 가자.
붙어서 가자.

우산 끝에
빗물도
나란히 나란히.

어휘 풀이

▼ **가랑비** 가늘게 내리는 비. 이슬비보다는 좀 굵음.
　예 아침부터 가랑비가 흩뿌리고 있다.

▼ **멎었다** 비나 눈 따위가 그쳤다. 예 밤새 내리던 비가 새벽녘에 뚝 멎었다.

▼ **나란히** 여럿이 줄지어 늘어선 모양이 가지런한 상태로.
　예 학생들이 운동장에 나란히 줄지어 서 있다.

1
유추

비가 멎었지만 우산을 접지 않은 까닭으로 알맞은 것을 두 가지 고르세요.

(   )

① 비가 멎은 줄 몰라서
② 우산을 잃어버릴 것 같아서
③ 친구와 붙어서 가고 싶어서
④ 친구에게 우산을 자랑하고 싶어서
⑤ 좋아하는 친구와 더 사이좋게 지내고 싶어서

1주
3일

2
이해

서술형

다음 설명에 알맞은 부분을 시에서 찾아 쓰세요.

> • 반복되는 말이다.
> • 친구를 좋아하는 마음이 나타난 부분이다.

_____

3
유추

이 시가 주는 느낌은 어떠한가요? (   )

① 정답다.   ② 차갑다.   ③ 어둡다.
④ 딱딱하다.   ⑤ 시끌벅적하다.

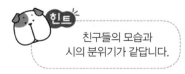
힌트
친구들의 모습과
시의 분위기가 같답니다.

스스로 독해 해결!

4
요약

이 시를 읽고 어떤 장면이 떠오르는지 내용을 정리하여 빈칸에 알맞은 말을 각각 쓰세요.

> 이 시를 읽으면 가랑비는 멎었지만 '나'와 '내' ❶ ▢▢ 이 ❷ ▢▢▢ 을 함께 쓰고 나란히 걸어서 가는 장면이 떠오른다.

1 [보기]에 동시 「붙어서 가자」에 나오는 낱말들이 나와 있어요. 다음 그림과 문장에 알맞은 낱말을 [보기]에서 각각 찾아 쓰세요.

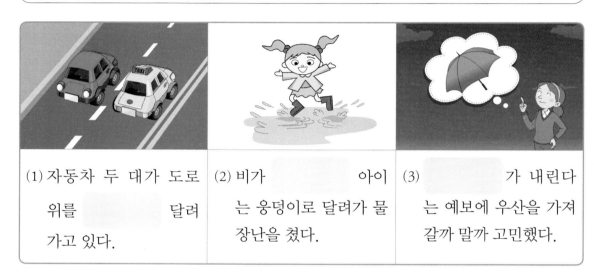

보기		
멎자	가랑비	나란히

(1) 자동차 두 대가 도로 위를   달려 가고 있다.

(2) 비가   아이 는 웅덩이로 달려가 물 장난을 쳤다.

(3)   가 내린다 는 예보에 우산을 가져 갈까 말까 고민했다.

2 다음 문장에서 밑줄 그은 속담의 뜻으로 알맞은 것을 골라 ○표를 하세요.

> <u>가랑비에 옷 젖는 줄 모른다</u>더니 군것질을 몇 번 하고 나니 이번 달 용돈이 어 느새 떨어지고 없었다.

(1) 비에 젖어 질척거리던 흙도 마르면서 단단하게 굳어진다는 뜻으로, 어떤 시련 을 겪은 뒤에 더 강해짐을 빗대어 이르는 말. (   )

(2) 가늘게 내리는 비는 조금씩 젖어 들기 때문에 여간해서도 옷이 젖는 줄을 깨닫 지 못한다는 뜻으로, 아무리 사소한 것이라도 그것이 거듭되면 무시하지 못할 정도로 크게 됨을 빗대어 이르는 말. (   )

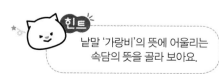

힌트
낱말 '가랑비'의 뜻에 어울리는 속담의 뜻을 골라 보아요.

● 동시 「붙어서 가자」에서 '나'는 친구와 붙어서 가려고 비가 멎었지만 우산을 접지 않고 우산 하나를 함께 썼어요. 그렇다면 '붙는 것' 하면 생각나는 자석에는 어떤 물질이 어떻게 붙는지 알아볼까요? 다음 실험 사진을 보고 알맞은 말을 골라 각각 ○표를 하세요.

실험 1

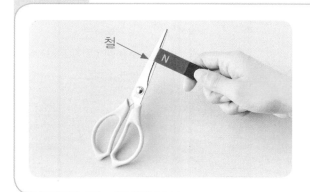

철

N

플라스틱

N

 자석에 붙는 물질은 (철 , 플라스틱)이에요.

실험 2

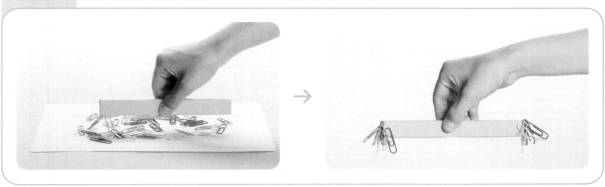

 자석의 (가운데 , 양쪽 끝)에 클립이 많이 붙어요.

 동시 「붙어서 가자」의 내용을 떠올려 보고 **자석에 붙는 물질**은 무엇인지, **자석에서 물질이 잘 붙는 위치**는 어디인지 등 자석의 성질에 대해 알아봅니다.

신용 카드는 요술 카드?

공부한 날   월   일

새롭게 알게 된 점을 정리해 보자!

「신용 카드는 요술 카드?」를 읽고 새롭게 알게 된 점을 정리해 보세요.
중요한 내용이 무엇인지 생각하며 글을 읽고, 새롭게 알게 된 내용에
밑줄을 그으면 쉽게 정리할 수 있답니다.

똑똑한 하루 독해 미리 보기

● 오늘 공부할 글의 그림을 미리 보고, 빈칸에 알맞은 낱말을 각각 찾아 쓰세요.

신용 카드로 계산하겠습니다.

소득   소비   교통 카드   신용 카드

물건을 사고 돈 대신 내는 ❶ ☐☐ ☐☐ 는 요술 카드일까요?
   ↳ 흔히 물건값을 치를 때 돈 대신 내는 카드.

올바른 ❷ ☐☐ 습관에 대해 생각해 보며 글을 읽어 보아요.
   ↳ 무엇을 갖거나 누리기 위하여 돈이나 물건 따위를 쓰거나 일을 하는 것.

신용 카드는 요술 카드?

스스로 독해

이 글을 읽고 새롭게 알 수 있는 내용은 무엇일까요? 점선을 따라 밑줄을 그으며 글을 읽고 새롭게 알게 된 내용을 정리해 보세요.

가게나 음식점에서 엄마, 아빠가 카드로 계산하는 걸 본 적이 있나요? 물건을 사고 돈 대신 신용 카드 한 장만 내면 되니 편리하지요.

하지만 신용 카드를 쓰는 것은 쓴 돈을 언제까지 갚겠다는 약속을 하는 거예요. ⠀⠀⠀⠀⠀ 이러한 약속을 지킬 수 없다면 카드를 쓰지 말아야 해요. 신용 카드를 쓰고 돈을 내지 못하거나 빌린 돈을 갚지 않으면 신용 불량자가 돼요.

신용 불량자는 은행에서 돈을 빌리기 어려워요. 일자리를 구하기도 힘들고, 사람들에게 비난을 받을 수도 있어요. 그래서 어려서부터 올바른 소비 습관을 들이는 게 중요하답니다.

신용 카드로
계산해 드릴게요.

어휘 풀이

▼**신용**|믿을 신 信, 쓸 용 用| **카드**　흔히 물건값을 치를 때 돈 대신 내는 카드.

▼**신용 불량자**|믿을 신 信, 쓸 용 用, 아닐 불 不, 어질 량 良, 사람 자 者|　은행이나 신용 카드사에서 돈을 빌린 후 정해진 날짜까지 갚지 못하여 은행 같은 곳에서 거래를 할 수 없게 된 사람.

▼**비난**|아닐 비 非, 어려울 난 難|　남의 잘못이나 나쁜 점을 나쁘게 말함.
　예 다른 사람을 함부로 비난해서는 안 된다.

▼**소비**|꺼질 소 消, 쓸 비 費|　무엇을 갖거나 누리기 위하여 돈이나 물건 따위를 쓰거나 일을 하는 것.
　예 올해는 작년보다 과일 소비가 늘었다.

1
문법

① 안에 들어갈 알맞은 말은 무엇인지 골라 ◯표를 하세요.

(만약 , 마치)

힌트
'없다면'과 어울리는 말을 골라 보세요.

1주
4일

2
이해

이 글의 내용으로 알맞지 <u>않은</u> 것은 무엇인가요? (   )

① 신용 불량자는 일자리를 구하기 힘들다.

② 빌린 돈을 갚지 않으면 신용 불량자가 된다.

③ 신용 불량자는 은행에서 돈을 빌리기 어렵다.

④ 신용 카드만 있으면 공짜로 물건을 살 수 있다.

⑤ 신용 카드를 쓰고 돈을 내지 못하면 신용 불량자가 된다.

3
이해

서술형

신용 불량자가 되지 않으려면 어떻게 해야 한다고 하였는지 쓰세요.

어려서부터 _____을 들여야 한다.

4
요약

스스로 독해 해결!

다음은 이 글을 읽고 새롭게 알게 된 내용을 정리한 것이에요. 빈칸에 알맞은 말을 각각 쓰세요.

신용 카드를 쓰는 것은 쓴 돈을 언제까지 갚겠다고 ❶ ☐☐ 을 하는 것이다. 신용 카드를 쓰고 돈을 내지 못하면 신용 ❷ ☐☐☐ 가 되어 은행에서 돈을 빌리기 어렵고 일자리도 구하기 힘들며 사람들에게 비난을 받을 수도 있다.

1 다음은 「신용 카드는 요술 카드?」에 나오는 문장이에요. 밑줄 그은 낱말과 바꾸어 쓸 수 있는 낱말을 보기 에서 각각 찾아 쓰세요.

> **보기**
>
> 꾸기   직장   취미

(1) 신용 불량자는 은행에서 돈을 <u>빌리기</u> 어려워요.

(2) <u>일자리</u>를 구하기도 힘들고, 사람들에게 비난을 받을 수도 있어요.

2 '소비'는 '무엇을 갖거나 누리기 위하여 돈이나 물건 따위를 쓰거나 일을 하는 것.'이라는 뜻을 가지고 있어요. 다음은 '소비'와 관련된 낱말의 뜻이에요. 어떤 낱말의 뜻인지 보기 에서 각각 찾아 쓰세요.

> **보기**
>
> 소비량   소비자   소비 생활

(1) _____ : 소비하는 사람.

(2) _____ : 돈, 물건, 시간 따위를 소비하는 양.

(3) _____ : 생활하면서 돈이나 물건을 소비하는 일.

> 힌트
> '소비자'와 뜻이 반대인 말은 '생산하는 사람.'을 뜻하는 '생산자'예요.

○ 「신용 카드는 요술 카드?」에서는 어려서부터 올바른 소비 습관을 들여야 한다고 했어요. 다음은 올바른 소비 습관을 정리한 것이에요. 잘 읽고 올바른 소비 습관을 가진 친구는 누구인지 이름을 쓰세요.

올바른 소비 습관

❶ 꼭 필요한 것만 사요.

❷ 사려는 계획이 없었다면 예쁘다고 사거나 값이 싸다고 사지 않아요.

❸ 가지고 있는 돈에 맞추어 같은 물건이라면 좀 더 싸고 품질이 좋은 것을 골라 사요.

 올바른 소비 습관을 가진 친구는 　　　 이다.

 「신용 카드는 요술 카드?」의 내용을 떠올리며 **올바른 소비 습관**을 알아보고 **올바른 소비 습관**을 **실천**해 나갈 수 있도록 합니다.

오이 피클 담그기

글과 그림이나 사진을 함께 보자!

「오이 피클 담그기」를 읽고 오이 피클 담그는 방법을 알아보아요.

요리하는 방법을 알려 주는 글을 읽을 때에는 글에 나와 있는

그림이나 사진을 함께 보아야 글 내용을 쉽게 이해할 수 있답니다.

◉ 오늘 공부할 글의 사진을 미리 보고, 빈칸에 알맞은 낱말을 보기 에서 각각 찾아 쓰세요.

보기
소독　　　　숙성　　　　피클

❶

　오이, 양배추 따위의 채소나 과일 따위를 식초·설탕·소금·향신료를 섞어 만든 액체에 담가 절여서 만든 음식.
　예 오이 ○○을 담글 때 오이는 굵은 소금으로 깨끗이 씻어야 한다.

❷

　병에 걸리거나 병이 옮는 것을 예방하기 위하여 병균을 죽이는 일.
　예 썰어 놓은 오이는 ○○한 유리병에 넣어야 한다.

❸

　김치, 술 따위가 잘 익음.
　예 오이 피클을 담근 뒤 이틀 동안은 ○○을 시켜야 맛있게 먹을 수 있다.

음식의 조리에
필요한 도구들
알아보기

오이 피클 담그기

스스로 독해

오이 피클은 어떻게 담글까요? 글과 사진을 함께 보며 알아보아요.

① 오이 3개, 굵은 소금, 식초, 설탕, ▾피클링 스파이스를 준비한다.

② 굵은 소금으로 오이를 깨끗이 씻은 다음, 먹기 좋은 크기로 썰어 놓는다.

③ 냄비에 물 2컵, 식초 1컵, 설탕 1컵, 피클링 스파이스 한 숟가락을 넣고 끓인다.

④ ▾소독한 유리병에 썰어 놓은 오이를 넣고 ③에서 끓인 물을 붓는다.

⑤ ▾이틀 동안 ▾숙성시킨다.

어휘 풀이

- ▾**피클**   오이, 양배추 따위의 채소나 과일 따위를 식초·설탕·소금·향신료를 섞어 만든 액체에 담가 절여서 만든 음식. 향신료는 음식에 맵거나 향기로운 맛을 더하는 조미료를 말함.

- ▾**피클링 스파이스**   피클을 담글 때 쓰는 향신료.

- ▾**소독**|꺼질 소 消, 독 독 毒| 병에 걸리거나 병이 옮는 것을 예방하기 위하여 병균을 죽이는 일.
  - 예 젖병을 <u>소독</u>하는 방법은 물에 삶는 것이다.

- ▾**이틀**   하루가 두 번 있는 시간의 길이. 예 <u>이틀</u> 동안 잠을 제대로 못 잤다.

- ▾**숙성**|익을 숙 熟, 이룰 성 成| 김치, 술 따위가 잘 익음. 예 김치는 <u>숙성</u> 기간을 거쳐야 맛있다.

▶정답 및 해설 12쪽

1
이해

오이 피클을 담글 때 필요한 재료가 <u>아닌</u> 것은 무엇인가요? (　　　　)

①
▲ 간장

②
▲ 설탕

③
▲ 식초

④
▲ 오이

서술형

2
유추

오이 피클을 담글 때 굵은 소금을 준비한 까닭은 무엇일지 쓰세요.

굵은 소금으로 ＿＿＿＿＿＿＿＿＿＿＿＿＿＿＿＿＿＿ 준비한 것이다.

힌트
굵은 소금으로 한 일이 무엇인지 생각해 보세요.

스스로 독해 해결!

3
요약

오이 피클 담그는 방법을 사진과 함께 간단하게 정리해 보았어요. 빈칸에 알맞은 말을 보기 에서 각각 찾아 쓰세요.

보기
숙성　　　　식초　　　　오이

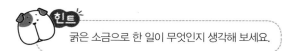

| 재료 준비하기 | ❶ □□ 씻어서 썰기 | 물, 식초, 설탕, 피클링 스파이스 넣고 끓이기 | 오이와 끓인 물 유리병에 담기 | ❷ □□ 시키기 |

1 「오이 피클 담그기」에서는 요리 방법 중 '끓이기'를 이용했어요. 다음 그림에 알맞은 요리 방법은 무엇인지 보기 에서 각각 찾아 쓰세요.

보기
데치기   부치기   조리기   찌기

(1)	(2)	(3)	(4) 조리기
: 뜨거운 수증기를 이용해 익히는 방법임.	: 끓는 물에 넣어 순간적으로 익히는 방법임.	: 기름을 조금 두르고 식품을 지지는 방법임.	: 식품에 양념장을 끼얹어 낮은 온도에서 서서히 익히는 방법임.

힌트
시금치는 데치고 전은 부치며
생선은 조리고 만두는 쪄서 먹을 수 있어요.

2 빈칸에 알맞은 날짜를 세는 말을 보기 에서 각각 찾아 쓰세요.

보기
사흘   엿새   아흐레

1일	2일	3일	4일	5일
하루	이틀	(1)	나흘	닷새
6일	7일	8일	9일	10일
(2)	이레	여드레	(3)	열흘

◉ 혹시 「오이 피클 담그기」를 읽고 음식을 만드는 일에 관심이 생겼나요? 다음은 음식을 만드는 것과 관련 있는 직업을 소개한 것이에요. 잘 읽고 문장에 알맞은 직업을 골라 ○ 표를 하세요.

푸드 스타일리스트

음식을 만들고 장식하여 더 먹음직스럽고 아름답게 만드는 일을 해요.

제과 제빵사

케이크, 빵, 쿠키 등을 전문적으로 만드는 일을 해요.

전통 식품 제조원

우리나라 고유의 음식인 떡, 한과, 김치, 간장, 된장 등을 만드는 일을 해요.

요리 연구가

음식을 연구하고 개발하는 일을 해요.

 우리 엄마는 우리나라 고유의 음식을 만드는 일을 하시는 (푸드 스타일리스트 , 제과 제빵사 , 전통 식품 제조원 , 요리 연구가)이시다.

 「오이 피클 담그기」의 내용을 떠올려 보고 **음식 만드는 일과 관련된 직업**에 대해 좀 더 알아볼 수 있습니다.

[1~3] 다음 글을 읽고, 물음에 답하세요.

"모두들 목에 병이 걸린 듯하니 오늘부터 이 돌로 만든 갓을 쓰고 다녀라."

꼬마 사또는 벼슬아치들에게 돌로 만든 갓을 하나씩 나누어 주었습니다.

벼슬아치들이 돌로 만든 갓을 ㉠쓰자 머리가 무거워 목을 제대로 가눌 수가 없었습니다. 목은 꺾어져 저절로 꼬마 사또에게 인사를 하게 되었습니다.

"사또, 저희가 잘못했습니다. 이 무거운 갓을 벗게 해 주세요. 잘못했습니다!"

1 갓은 무엇으로 만들었는지 이 글에서 찾아 쓰세요.

(   )

2 ㉠과 뜻이 반대인 말은 무엇인가요?

(   )

① 입자   ② 벗자

③ 만들자   ④ 날리자

⑤ 사용하자

3 벼슬아치들이 사또에게 인사를 하게 된 원인으로 알맞은 것에 ○표를 하세요.

(1) 사또를 존경해서   (   )

(2) 돌로 만든 갓을 쓰자 목이 꺾어져서

(   )

(3) 임금이 인사를 하라고 시켜서 (   )

[4~6] 다음 글을 읽고, 물음에 답하세요.

최근 새로 개발된 우산 중에 투명 우산이라는 게 있어요. 투명 우산은 여름철 수영장에서 사용하는 튜브의 원리를 이용한 우산이에요.

우산을 사용하지 않을 때에는 접어 두었다가 비가 올 때 우산의 버튼을 누르면 공기가 채워지며 부풀어 오르는 우산이지요.

우산살이 없어 바람에 부서질 염려도 없고, 평소에는 ㉠ 접어 놓을 수 있어 보관하기 편하다는 것도 장점이에요.

4 무엇에 대해 설명하고 있는지 이 글에서 찾아 쓰세요.

(   )의 특징과 장점

5 투명 우산에 대해 바르게 말한 친구의 이름을 쓰세요.

다솔: 우산의 버튼을 누르면 공기가 채워지면서 우산이 부풀어 올라.

아라: 우산살이 여러 개 있어서 바람에 부서질 염려가 없어.

(   )

6 ㉠ 안에 들어갈 바른 낱말을 골라 ○표를 하세요.

(적게 , 작게)

[7~8] 다음 시를 읽고, 물음에 답하세요.

> 가랑비가 멎었다.
> 내 짝하고
> 학교에서 돌아가는 길
>
> 비는 멎었지만
> 우산은 접지 말고
> 붙어서 가자.
> 붙어서 가자.
>
>
>
> 우산 끝에
> 빗물도
> 나란히 나란히.

7 이 시에서 반복되는 말을 두 가지 고르세요.

( )

① 짝하고   ② 나란히
③ 학교에서   ④ 멎었지만
⑤ 붙어서 가자

8 이 시를 읽고 떠오르는 장면으로 알맞은 것은 무엇인가요? ( )

① 친구와 싸우는 모습
② 비가 세차게 내리는 모습
③ 친구가 교실에서 공부하는 모습
④ 친구가 우산을 잃어버려서 속상해하는 모습
⑤ 두 친구가 우산을 함께 쓰고 다정하게 걸어가는 모습

9 신용 불량자가 되면 일어나는 일을 두 가지 골라 ○표를 하세요.

> 신용 카드를 쓰고 돈을 내지 못하거나 빌린 돈을 갚지 않으면 신용 불량자가 돼요.
> 신용 불량자는 은행에서 돈을 빌리기 어려워요. 일자리를 구하기도 힘들고, 사람들에게 비난을 받을 수도 있어요. 그래서 어려서부터 올바른 소비 습관을 들이는 게 중요하답니다.

(1) 일자리를 구하기 힘들게 된다.

( )

(2) 올바른 소비 습관을 기르게 된다.

( )

(3) 은행에서 돈을 빌리기 어렵게 된다.

( )

10 다음 글을 설명할 때 가장 알맞은 사진은 무엇인가요? ( )

> 오이 3개, 굵은 소금, 식초, 설탕, 피클링 스파이스를 준비한다.

①    ②

③    ④

⑤

창의

1 다음 만화를 읽고, 1주차에서 배운 낱말을 떠올려 어휘 퀴즈에 알맞은 낱말을 빈칸에 각각 쓰세요.

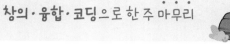

바퀴벌레가 병균을 옮길지 모르니까 빨리 소독을 하자.

'소독'은 '병에 걸리거나 병이 옮는 것을 예방하기 위하여 병균을 죽이는 일.'을 뜻하는 말이야.

치 익

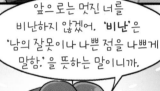

지찬아, 오늘따라 네가 멋있어 보인다.

앞으로는 멋진 너를 비난하지 않겠어. '비난'은 '남의 잘못이나 나쁜 점을 나쁘게 말함.'을 뜻하는 말이니까.

나도 나도!

척

앗! 나의 실수!

뿌웅

아휴, 냄새!

그새를 못 참고 또 방귀를 뀌니? 이 방귀쟁이야!

구리

앞으로는 비난하지 않겠다면서!

구리

🐻 어휘 퀴즈

❶ '관심을 가지고 주의 깊게 살핌. 또는 그 시선.'을 뜻하는 말은? →

❷ '병에 걸리거나 병이 옮는 것을 예방하기 위하여 병균을 죽이는 일.'을 뜻하는 말은?

→

❸ '그는 버릇없이 행동하여 ○○을 받았다.'의 빈칸에 들어갈 알맞은 말은?

→

융합

2 「투명 우산」에 나오는 투명 우산과 같은 투명한 물체와 불투명한 물체의 특징을 비교해 볼까요? 다음 실험을 보고 알맞은 말을 골라 각각 ◯표를 하세요.

실험 1

 컵에 구슬을 넣었을 때 안에 들어 있는 구슬이 보이는 것은 (투명한 , 불투명한) 컵이에요.

실험 2

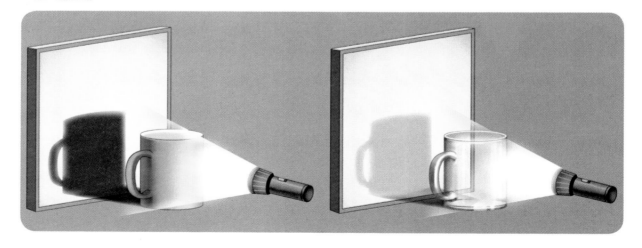

 투명한 물체는 불투명한 물체보다 (진한 , 연한) 그림자가 생겨요.

코딩

3 「오이 피클 담그기」를 읽고, 서우가 오이 피클을 담갔어요. 다음 코딩 명령에 따라 이동하여 서우가 오이 피클을 누구에게 가져다주었을지 알맞은 사람에게 ○표를 하세요.

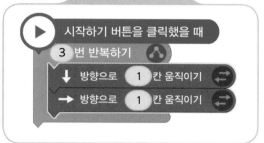

코딩 명령

▶ 시작하기 버튼을 클릭했을 때
3 번 반복하기
↓ 방향으로 1 칸 움직이기 ⇆
→ 방향으로 1 칸 움직이기 ⇆

코딩 명령 풀이
↓ 방향으로 한 칸 이동한 다음,
➡ 방향으로 한 칸 이동해요.
이것을 세 번 반복해요.

창의

4 다음 주문 방법을 보고 알맞은 말에 ○표를 하세요.

생활 어휘

이건 햄버거를 주문하는 기계네.

주문 방법에 쓰여 있는 내용을 잘 읽고, 순서대로 잘 따라 하면 돼.

현금 결제는 카운터에서 주문해 주세요.

기다리지 않고 간편하게
여기에서 주문하세요!
화면을 터치해 주세요.

먹고 가기 〉   포장하기 〉

주문 방법
① '먹고 가기'와 '포장하기' 중 하나를 선택합니다.
② 메뉴를 선택한 후 주문하기를 누릅니다.
③ 카드를 투입합니다.
④ 영수증의 주문 번호를 확인합니다.

애들아! 지폐나 동전 등 (1)(쿠폰 , 현금)으로 햄버거값을 낼 거면 카운터에 가서 주문하면 돼. 엄마와 함께 가서 신용 카드가 있다면 주문하는 기계를 이용해 봐. 기계를 이용하여 주문을 끝냈으면 신용 카드를 (2)(넣어 , 만들어) 햄버거값을 계산하면 돼.

어휘 풀이

▼ **현금** | 나타날 현 現, 쇠 금 金 | 지폐나 동전을 이르는 말. 예 지갑에는 현금이 하나도 없었다.

▼ **결제** | 결정할 결 決, 건널 제 濟 | 거래에서 치러야 할 돈을 치름.
　　예 요즘은 스마트폰 하나만 있어도 결제가 가능하다.

▼ **카운터**　식당이나 상점에서 값을 계산하는 곳. 예 계산은 카운터에서 하세요.

▼ **투입** | 던질 투 投, 들 입 入 | 던져 넣음. 예 500원을 투입하면 인형 뽑기 게임을 할 수 있다.

창의 5
생활 한자

非(아닐 비) 자에 대해 알아보고, 다음 물음에 답하세요.

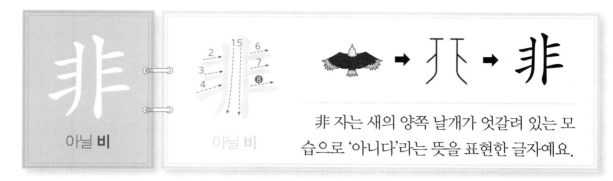

非 자는 새의 양쪽 날개가 엇갈려 있는 모습으로 '아니다'라는 뜻을 표현한 글자예요.

(1) 非 자가 들어간 낱말을 알아보고, 한자의 음을 쓰세요.

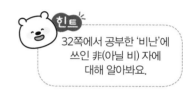
힌트
32쪽에서 공부한 '비난'에 쓰인 非(아닐 비) 자에 대해 알아봐요.

① 계속되는 가뭄에 非常 대책을 마련하느라 바쁘다.

☐ 상

② 지하철이 고장 나는 바람에 지하철 운행이 非正常이다.

☐ 정 상

(2) 한자 성어의 뜻을 알아보고, 빈칸에 알맞은 한자를 쓰세요.

非 一 非 再
아닐 비 하나 일 아닐 비 다시 재

같은 현상이나 일이 한두 번이나 한둘이 아니고 많음.

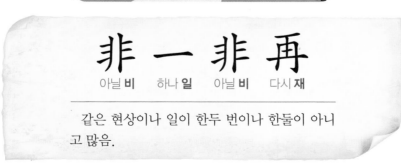

• 운동장에 쓰레기를 함부로 버리는 일이 ☐ 一 ☐ 再 (비일비재)하다.

2주에는 무엇을 공부할까? ❶

1-1 다음 문장에 넣을 바른 낱말을 골라 ◯표를 하세요.

"제 손이 (닫는 , 닿는) 것은 무엇이든 황금으로 변하게 해 주십시오."

1-2 다음 빈칸에 들어갈 낱말을 보기 에서 골라 쓰세요.

보기

닿는   닫는

모래사장을 걸으며 발바닥에 ☐☐ 모래의 감촉을 느껴 보세요.

☐☐

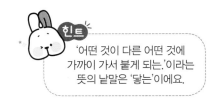

힌트

'어떤 것이 다른 어떤 것에 가까이 가서 붙게 되는.'이라는 뜻의 낱말은 '닿는'이에요.

▶ 정답 및 해설 14쪽

2-1 다음 문장에 넣을 바른 낱말을 골라 ◯표를 하세요.

텔레비전을 보거나 음악을 들을 때에는 소리를 적당하게 (맞춰 , 맞혀) 주세요.

2-2 다음 ⬜ 안에 들어갈 바른 낱말을 골라 ◯표를 하세요.

날씨가 추워서 보일러의 온도를 40도에 두었다.

힌트
'어떤 기준이나 정도에 어긋나지 아니하게 하여.'라는 뜻의 낱말은 '맞춰'예요.

맞혀   맞춰

1
일

이야기 (문학)

도대체 그동안 무슨 일이 일어났을까?

공부한 날   월   일

일이 일어난 차례대로 정리하자!

이야기 「도대체 그동안 무슨 일이 일어났을까?」를 읽고 일이 일어난
차례대로 내용을 정리해 보세요.
일이 일어난 차례는 시간의 변화나 장소의 변화에 따라 일(사건)이
어떻게 진행되고 있는지 살펴보면 쉽게 정리할 수 있어요.

● 오늘 공부할 글의 그림을 미리 보고, 빈칸에 알맞은 낱말을 보기 에서 각각 찾아 쓰세요.

보기

거의   밤참   모습   냉장고   베란다

❶

저녁밥을 먹고 난 한참 뒤 밤중에 먹는 음식.
예 지금 토끼는 맛있는 ○○을 먹고 있어요.

❷

어떤 기준에 매우 가까운 정도로.
예 식구들이 돌아올 시간이 ○○ 다 되었어요.

❸

아파트 등에서 거실이나 방의 바깥쪽에 만들어 놓은 좁고 긴 공간.
예 바로 ○○○가 토끼 집이지요.

전체 이야기 듣기

도대체 그동안 무슨 일이 일어났을까?

이호백

스스로 독해

식구들이 없는 빈집에서 토끼가 한 일은 무엇인가요? 점선 부분을 따라 선을 그으며 읽고 토끼가 한 일을 차례대로 정리해 보세요.

토끼는 슬그머니 문을 열고 아무도 없는 집 안으로 들어왔어요.

㉠배가 고픈가 보아요. 냉장고 문을 열고 뭐 먹을 것이 없나 살펴보네요.

토끼는 베란다에서 사람들이 밥 먹는 모습을 많이 보았기 때문에 식사하는 법을 잘 알고 있어요.

지금 토끼는 맛있는 밤참을 먹고 있어요.

아침이에요.

이 집 식구들이 돌아올 시간이 거의 다 되었어요.

이제 토끼는 자기 집으로 돌아가야 해요.

바로 베란다가 토끼 집이지요.

어휘 풀이

▼ **슬그머니** 남이 알아차리지 못하게 슬며시. 예 그는 식구들이 깰까 봐 슬그머니 집을 나왔다.

▼ **베란다** 아파트 등에서 거실이나 방의 바깥쪽에 만들어 놓은 좁고 긴 공간.

▼ **식사**|먹을 식 食, 일 사 事| 끼니로 음식을 먹음. 또는 그 음식.

▼ **밤참** 저녁밥을 먹고 난 한참 뒤 밤중에 먹는 음식. 예 밤참으로 라면을 먹었다.

▼ **거의** 어떤 기준에 매우 가까운 정도로. 예 숙제가 거의 마무리되었다.

▲ 베란다

1
어휘

㉠의 낱말 뜻으로 알맞은 그림에 ◯표를 하세요.

(1)

(   )

(2)

(   )

(3)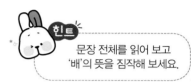

(   )

힌트
문장 전체를 읽어 보고
'배'의 뜻을 짐작해 보세요.

2주
1일

2
이해

토끼가 식사하는 법을 잘 알고 있는 까닭은 무엇인지 알맞은 것에 ◯표를 하세요.

(1) 부엌에서 식구들과 함께 밥을 먹었기 때문이다. (   )

(2) 베란다에서 사람들이 밥 먹는 모습을 많이 보았기 때문이다. (   )

3
이해

서술형

토끼가 베란다로 돌아가려고 하는 까닭은 무엇인지 쓰세요.

이 집 식구들이 _____

4
요약

스스로 독해 해결!

이 글에서 일이 일어난 차례를 정리하여 빈칸에 알맞은 말을 각각 쓰세요.

토끼가 베란다 문을 슬그머니 열고 집 안으로 몰래 들어온다.	→ 토끼는 냉장고 문을 열어 음식들을 꺼내 ❶ [ ][ ]을 먹고 침대에서 잠을 잔다.	→ ❷ [ ][ ]이 되자 토끼는 다시 베란다 문을 열고 자기 집으로 돌아가려고 한다.

1 이야기 「도대체 그동안 무슨 일이 일어났을까?」에 쓰인 다음 문장과 같이 빈칸에 들어갈 알맞은 꾸며 주는 말을 보기 에서 찾아 쓰세요.

지금 토끼는 맛 있 는 밤참을 먹고 있어요.

보기

둥근   활짝   넓은   높이

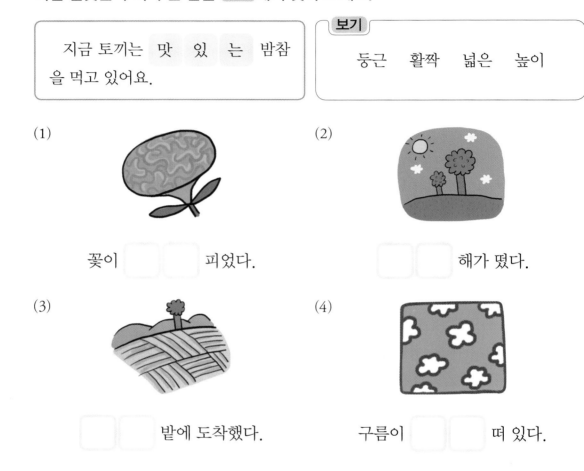

(1) 꽃이 ☐ ☐ 피었다.

(2) ☐ ☐ 해가 떴다.

(3) ☐ ☐ 밭에 도착했다.

(4) 구름이 ☐ ☐ 떠 있다.

2 다음 중 시간을 나타내는 말을 모두 찾아 ◯표를 하세요.

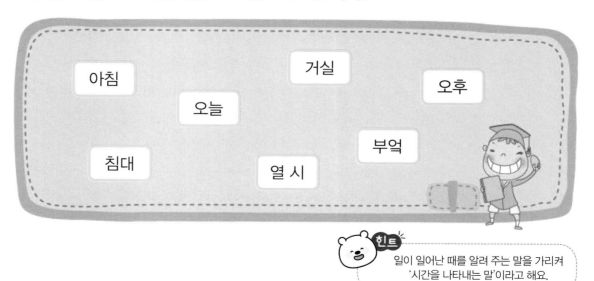

아침   거실   오후   오늘   부엌   침대   열 시

힌트
일이 일어난 때를 알려 주는 말을 가리켜 '시간을 나타내는 말'이라고 해요.

▶ 정답 및 해설 14쪽

● 이야기 속 토끼가 다녀간 장소를 차례대로 따라가면 얻을 수 있는 자음자나 모음자에 ○
표를 하고 자음자와 모음자를 차례대로 합치면 어떤 글자가 만들어지는지 쓰세요.

 토끼가 다녀간 장소를 따라가며 얻은 자음자와 모음자는 (1) '□, □, □'

이고, 이것을 모두 합치면 (2) '□'이라는 글자가 만들어져요.

이야기 「도대체 그동안 무슨 일이 일어났을까?」의 내용을 떠올리며 **토끼가 집 안에서 돌아다닌 장소**는 어디인지 차례대로 정리해 봅니다.

2일

과학 (비문학)

파리는 용서를 빌려고 다리를 비빌까?

공부한 날　　　월　　　일

중요한 내용을 찾아라!

「파리는 용서를 빌려고 다리를 비빌까?」를 읽고 중요한 내용을 찾아보세요.
중요한 내용은 설명하는 대상이 무엇인지 찾고 설명하는 대상의 특징을
살펴보면 알 수 있어요.

◉ 오늘 공부할 글의 그림을 미리 보고, 빈칸에 알맞은 낱말을 각각 찾아 쓰세요.

발견	미각	용서

파리는 잘못한 일이 많은 걸까요? 다리를 비비는 모습이 꼭 ❶ ☐☐ 해

지은 죄나 잘못한 일에 대하여 꾸짖거나 벌하지 않고 덮어 줌.

달라고 비는 모습 같아요. 파리가 다리를 비비는 까닭은 발끝에 ❷ ☐☐

맛을 느끼는 감각.

기관이 있기 때문이래요. 좀 더 자세히 알아볼까요?

파리에 대하여 자세히 알아보기

파리는 용서를 빌려고 다리를 비빌까?

스스로 독해

파리가 다리를 비비는 까닭은 무엇일까요? 점선 부분을 따라 선을 그으며 읽어 보고 답을 찾아보세요.

파리가 다리를 ㉠ 비비는 이유는 맛을 느끼는 미각 기관이 발끝에 있기 때문이야.

자세히 보면 파리 다리에는 가느다란 털이 잔뜩 나 있어. 파리가 하수구, 화장실, 쓰레기통 같은 지저분한 곳에 앉으면 더러운 것들이 파리 다리에 묻게 돼. 그런데 발끝에 더러운 것들이 묻으면 어떻게 될까? 맞아, 맛있는 음식을 발견해도 그 맛을 느낄 수 없게 되는 거야. 그래서 파리는 발끝에 묻은 더러운 것들을 털어 내기 위해 다리를 싹싹 비비는 거야.

어휘 풀이

▼**용서**|얼굴 용 容, 용서할 서 恕| 지은 죄나 잘못한 일에 대하여 꾸짖거나 벌하지 않고 덮어 줌.
예 동생은 자신의 실수를 인정하고 용서를 구했다.

▼**미각**|맛 미 味, 깨달을 각 覺| 맛을 느끼는 감각. 예 매운 음식은 미각을 자극한다.

▼**하수구**|아래 하 下, 물 수 水, 도랑 구 溝| 빗물이나 집, 공장, 병원 따위에서 쓰고 버리는 더러운 물이 흘러내려 가도록 만든 도랑.

▼**발견**|필 발 發, 볼 견 見| 미처 찾아내지 못하였거나 아직 알려지지 않은 사물이나 현상, 사실 따위를 찾아냄. 예 새로운 유적을 발견하였다.

1
어휘

⊙ 에 들어갈 알맞은 흉내 내는 말은 무엇인가요? (   )

① 펄펄   ② 싹싹   ③ 질질
④ 훨훨   ⑤ 주르륵

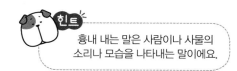

힌트

흉내 내는 말은 사람이나 사물의 소리나 모습을 나타내는 말이에요.

2
이해

파리의 미각 기관이 있는 곳에 ○표를 하세요.

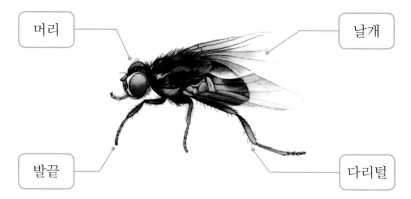

머리   날개

발끝   다리털

서술형

3
이해

파리의 발끝에 더러운 것들이 묻으면 어떻게 된다고 하였는지 쓰세요.

맛있는 음식을 발견해도 _____

스스로 독해 해결!

4
요약

이 글의 중요한 내용을 정리하여 빈칸에 알맞은 말을 각각 쓰세요.

파리가 다리를 비비는 까닭

파리는 맛을 느끼는 ❶ ☐☐ 기관이 발끝에 있는데 발끝에 더러운 것
이 묻으면 ❷ ☐ 을 느끼기 어렵기 때문에 발끝에 묻은 더러운 것들을 털어
내기 위해서 다리를 비빈다.

1 「파리는 용서를 빌려고 다리를 비빌까?」에 쓰인 문장에서 밑줄 그은 낱말의 뜻으로 알맞은 그림에 ○표를 하세요.

> 파리가 <u>다리</u>를 싹싹 비비는 이유는 맛을 느끼는 미각 기관이 발끝에 있기 때문이야.

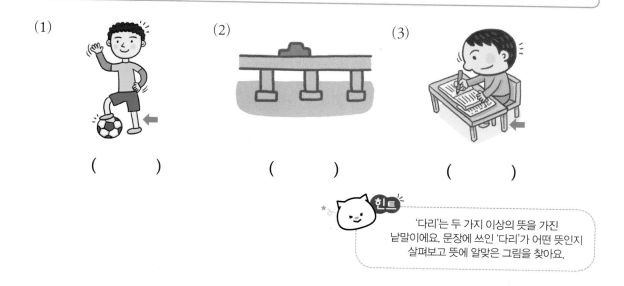

(1)

(   )

(2)

(   )

(3)

(   )

힌트
'다리'는 두 가지 이상의 뜻을 가진 낱말이에요. 문장에 쓰인 '다리'가 어떤 뜻인지 살펴보고 뜻에 알맞은 그림을 찾아요.

2 다음 낱말과 뜻이 반대인 낱말을 선으로 알맞게 이으세요.

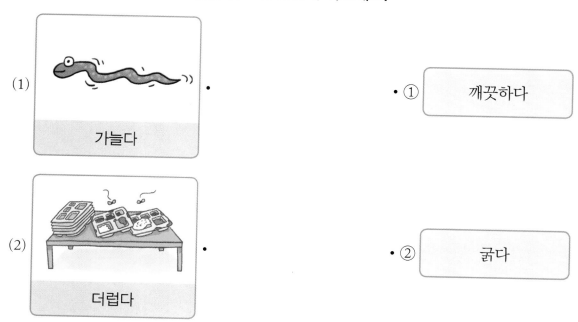

(1) 가늘다 ·

(2) 더럽다 ·

· ① 깨끗하다

· ② 굵다

● 파리가 다리를 비비는 까닭을 잘 알았지요? 이번에는 다른 곤충들은 어떻게 맛을 느끼는
지 알아볼까요? 다음 만화를 읽고 빈칸에 알맞은 말을 쓰세요.

 개미나 벌과 같은 곤충은 (1) ☐☐☐ 로 맛을 느끼고, 파리나 나비와 같은

곤충은 (2) ☐☐ 으로 맛을 느낀다.

「파리는 용서를 빌려고 다리를 비빌까?」의 내용을 떠올리며 **다른 곤충은 어떻게 맛을 느끼는지** 더 알아봅니다.

미다스 왕

인물의 성격을 알아보자!

「미다스 왕」을 읽고 인물의 성격을 파악해 보세요.

글을 읽으며 인물이 한 말이나 인물이 한 행동을 살펴보면 인물의
성격을 짐작할 수 있답니다.

● 오늘 공부할 글과 그림을 미리 보고, 알맞은 낱말을 각각 찾아 표시하세요.

왕은 정원에 있는 나뭇가지 하나를 손으로 잡고 똑 분질렀습니다. 그러자 놀랍게도 나뭇가지는 금세 황금으로 변했습니다.

1 '집 안에 있는 뜰이나 꽃밭.'이라는 뜻의 낱말을 찾아 ○표를 하세요.

2 '누런빛의 금이라는 뜻으로, 금을 다른 금속과 구별하여 이르는 말.'이라는 뜻의 낱말을 찾아 △표를 하세요.

「미다스 왕」
전체 이야기
듣기

미다스 왕

스스로 독해

미다스 왕은 어떤 성격의 인물일까요? 점선 부분을 따라 선을 그으며 읽어 보고 인물의 성격을 짐작해 보세요.

"제 손이 닿는 것은 무엇이든 황금으로 변하게 해 주십시오."

미다스 왕의 말에 디오니소스는 ㉠매우 실망한 표정을 지으며 말했습니다.

"그것 말고 다른 소원을 빌 생각은 없소?"

㉡『황금이 생기는 것보다 더 좋은 소원이 어디 있겠습니까?』

디오니소스는 하는 수 없이 미다스 왕의 소원을 들어주기로 했습니다.

미다스 왕은 뛸 듯이 기뻐하며 궁전으로 돌아갔습니다. 그리고는 곧장 정원으로 달려 나가 소원이 이루어졌는지 시험해 보았습니다. 왕은 정원에 있는 나뭇가지 하나를 손으로 잡고 똑 분질렀습니다. 그러자 놀랍게도 나뭇가지는 금세 황금으로 변했습니다. 미다스 왕은 기뻐서 입을 다물지 못했습니다.

어휘 풀이

▼**황금**|누를 황 黃, 쇠 금 金| 누런빛의 금이라는 뜻으로, 금을 다른 금속과 구별하여 이르는 말.
　예 왕은 황금으로 장식한 왕관을 썼다.

▼**디오니소스** 그리스 신화에 나오는 술의 신.

▼**소원**|바 소 所, 원할 원 願| 어떤 일이 이루어지기를 바람. 또는 그런 일.

▼**정원**|뜰 정 庭, 동산 원 園| 집 안에 있는 뜰이나 꽃밭.

▼**분질렀습니다** 단단한 물체를 꺾어서 부러지게 하였습니다.
　예 놀부는 제비의 다리를 분질렀습니다.

▲ 정원

1
어휘
㉠과 바꾸어 쓸 수 있는 낱말은 무엇인가요? (   )

① 한참   ② 약간   ③ 아주

④ 조금   ⑤ 문득

2
유추
스스로 독해 해결!
㉡『   』의 말로 짐작할 수 있는 미다스 왕의 성격은 무엇인가요? (   )

① 다정하다.
② 부지런하다.
③ 욕심이 많다.
④ 남을 잘 돕는다.
⑤ 남에게 잘 속는다.

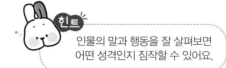

힌트
인물의 말과 행동을 잘 살펴보면
어떤 성격인지 짐작할 수 있어요.

2주
3일

3
이해
서술형
미다스 왕이 정원에 가서 한 일은 무엇인지 쓰세요.

미다스 왕은 자신의 소원이 이루어졌는지 시험해
보기 위해 _____

_____

똑 분질렀습니다.

4
요약
이 글의 내용을 정리하여 빈칸에 알맞은 말을 각각 쓰세요.

미다스 왕은 디오니소스에게 손에 닿는 것은 무엇이든 ❶ ☐ ☐ 으로
변하게 해 달라는 ❷ ☐ ☐ 을 말하였고, 디오니소스는 이를 들어주었다.
궁전으로 돌아온 미다스 왕은 자신의 손에 닿은 나뭇가지가 황금으로 변하
는 모습에 무척 기뻐하였다.

1 이야기 「미다스 왕」에 쓰인 문장에서 밑줄 그은 낱말의 뜻을 알맞게 말한 친구에게 ◯표를 하세요.

> 미다스 왕은 뛸 듯이 기뻐하며 궁전으로 <u>돌아갔습니다</u>.

원래의 있던 곳으로 다시 갔다는 뜻인 것 같아.

먼 쪽으로 둘러서 갔다는 뜻 아닐까?

어떤 것이 차례로 전달됐다는 뜻인 것 같아.

종수   민정   수희

2 보기 와 같이 그림에 나타난 인물의 마음을 짐작한 뒤 알맞은 표현에 ◯표를 하세요.

보기

(슬퍼요 , 부끄러워요)

(기뻐요 , 속상해요)

힌트
그림 속 인물이 처한 상황과
표정을 보고 마음을 짐작해 보세요.

◉ 미다스 왕은 그리스 신화에 나오는 인물이에요. 그리스는 유럽 문화가 처음 생겨난 곳으로 역사가 오래된 국가랍니다. 다음 민호의 설명을 읽고 그리스 국기를 들고 있는 사람을 찾아 ○표를 하세요.

그리스 국기는 하양과 파랑의 9개 가로줄이 있고
왼쪽 윗부분에는 파랑 직사각형에 하양 십자가가 있어요.

민호

 이야기 「미다스 왕」의 내용을 떠올리며 **이 이야기가 생겨난 곳인 그리스라는 나라**에 대하여 더 알아봅니다.

동물원은 없어져야 한다

공부한 날　　월　　일

글쓴이의 의견을 찾아라!

「동물원은 없어져야 한다」를 읽고 글쓴이의 의견을 찾아보세요.
글 제목을 주의 깊게 살펴보고 글쓴이가 하고 싶은 말이 무엇인지
생각해 보면 의견을 찾을 수 있어요.

● 오늘 공부할 글과 사진을 미리 보고, 알맞은 낱말을 각각 찾아 표시하세요.

아무리 시설이 잘 되어 있다고 해도 동물원은 야생과 같은 수준의 환경을 제공할 수 없지요.

1 '도구, 기계, 장치 따위를 베풀어 설비함. 또는 그런 설비.'라는 뜻의 낱말을 찾아 ○표를 하세요.

2 '산이나 들에서 저절로 나서 자람. 또는 그런 생물.'이라는 뜻의 낱말을 찾아 △표를 하세요.

동물원에 대하여 자세히 알아보기

동물원은 없어져야 한다

스스로 독해

글쓴이는 동물원이 있어야 한다고 생각할까요, 아니면 없애는 것이 좋다고 생각할까요? 점선 부분을 따라 선을 그으며 읽고 글쓴이의 의견을 찾아보세요.

　　돌고래나 북극곰처럼 아주 넓은 곳에 사는 동물이나 코끼리처럼 ▼대가족이 모여 사는 동물들은 동물원 생활이 맞지 않아요. 아무리 ▼시설이 잘 되어 있다고 해도 동물원은 ▼야생과 같은 수준의 ▼환경을 제공할 수 없지요. 예를 들어 돌고래는 하루 100킬로미터 이상을 이동하는데 이런 활동을 만족시킬 　　ⓐ　　을 만들 수 없어요. 이렇다 보니 동물원의 동물들은 운동이 부족해 근육이 줄어들고, 병에 잘 걸리거나 ▼스트레스를 받아요.

어휘 풀이

▼**대가족**|큰 대 大, 집 가 家, 겨레 족 族| 식구 수가 많은 가족. 예 식구가 여덟인 우리 집은 대가족이다.

▼**시설**|베풀 시 施, 베풀 설 設| 도구, 기계, 장치 따위를 베풀어 설비함. 또는 그런 설비.

▼**야생**|들 야 野, 날 생 生| 산이나 들에서 저절로 나서 자람. 또는 그런 생물.
　　예 야생에서 자라는 풀은 생명력이 강하다.

▼**환경**|고리 환 環, 지경 경 境| 생물이 살아가는 데 큰 영향을 미치는 자연의 상태나 조건.
　　예 동물들이 살기에 좋은 환경을 만들어 주어야 한다.

▼**스트레스** 적응하기 어려운 환경에 있을 때 느끼는 몸과 마음의 긴장 상태.

1 동물원 생활이 맞지 않다고 한 동물이 <u>아닌</u> 것에 ×표를 하세요.
이해

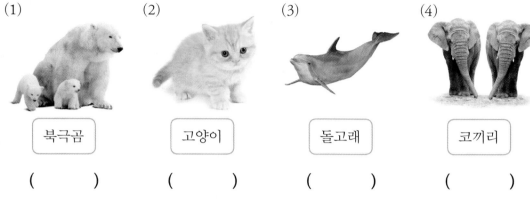

(1) 북극곰 (　　)　　(2) 고양이 (　　)　　(3) 돌고래 (　　)　　(4) 코끼리 (　　)

2 글의 내용으로 보아, 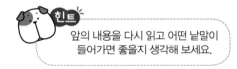 안에 들어갈 알맞은 낱말은 무엇인가요? (　　　　)
유추

① 숲　　　　　　　② 들판　　　　　　　③ 공원

④ 운동장　　　　　⑤ 수족관

힌트
앞의 내용을 다시 읽고 어떤 낱말이
들어가면 좋을지 생각해 보세요.

서술형

3 넓은 곳에 사는 동물들이 좁은 동물원 우리에 갇혀 생활하면 어떤 문제가 생긴다
이해 고 하였는지 쓰세요.

> • 운동이 부족해 근육이 줄어든다.
>
> • 병에 잘 걸리거나 ＿＿＿＿＿＿＿＿＿＿＿＿＿＿＿＿＿＿＿＿＿

스스로 독해 해결!

4 글쓴이의 의견과 그 의견을 낸 까닭을 정리하여 빈칸에 알맞은 말을 각각 쓰세요.
요약

글쓴이의 의견	❶ 　　　　　　은 없어져야 한다.
의견을 낸 까닭	왜냐하면 동물원은 ❷ 　　　　과 같은 수준의 환경을 제공할 수 없기 때문이다.

1 보기 와 같이 팻말에 들어갈 알맞은 낱말을 쓰세요.

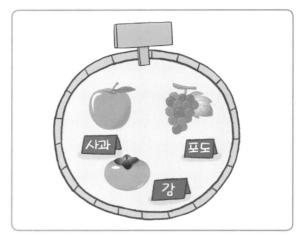

힌트
'사과, 포도, 감'을 모두
포함할 수 있는 낱말을
생각해 보세요.

2 보기 와 같이 끝말잇기를 해 보세요.

수족관 → 관람석 → 석가탑

(1) 대가족 → ___ → ___

(2) 환경 → ___ → ___

● 글쓴이가 동물원을 없애야 한다고 의견을 낸 까닭을 알았지요? 그런데 동물원이 꼭 필요하다고 말하는 사람들도 있어요. 다음 친구들 중에서 동물원이 필요한 까닭을 알맞게 말한 친구에 ◯표를 하고 풍선에 있는 숫자를 모두 더해 보세요.

 동물원이 필요한 까닭을 말한 친구들이 들고 있는 풍선의 숫자를 모두 더하면   이야.

 「동물원은 없어져야 한다」를 떠올리며 '**동물원은 꼭 있어야 한다**'는 의견에 대한 **까닭**을 알아보고 덧셈까지 해 봅니다.

층간 소음, 서로 양보하면 줄일 수 있어요

공부한 날   월   일

알리고 싶은 내용을 찾아라!

「층간 소음, 서로 양보하면 줄일 수 있어요」를 읽고 알리고 싶은 내용이
무엇인지 찾아보세요.
글쓴이가 알리고 싶은 내용은 글 전체의 내용을 살펴보고, 글에서 중요한
내용이 무엇인지 파악하면 쉽게 찾을 수 있어요.

● 오늘 공부할 글의 그림을 미리 보고, 빈칸에 알맞은 낱말을 보기 에서 각각 찾아 쓰세요.

보기

소음　　　청소　　　실내　　　음악

❶

방이나 건물 따위의 안.

㉠ ○○에서는 뛰지 말고 사뿐사뿐 걸어 주세요.

❷

사람의 생각이나 감정을 목소리나 악기 등의 소리를 통하여 나타내는 예술.

㉠ 텔레비전을 보거나 ○○을 들을 때에는 소리를 적당하게 맞춰 주세요.

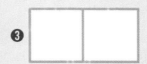

❸

더럽거나 어지러운 것을 쓸고 닦아서 깨끗하게 함.

㉠ ○○는 될 수 있으면 낮에 해 주세요.

지역에서
일어나는 공동의
문제 알아보기

층간 소음, 서로 양보하면 줄일 수 있어요

스스로 독해

점선 부분을 따라 선을 그으며 읽어 보고 이 글에서 알리고 있는 내용은 무엇인지 찾아보세요.

공동 주택에 사는 주민들이 모두 행복한 생활을 할 수 있도록 층간 소음을 줄이기 위한 예절을 반드시 지켜 주세요.

첫째, 실내에서는 뛰지 말고 사뿐사뿐 걸어 주세요. ㉠쿵쿵거리는 발걸음 소리가 아랫집에 사는 사람에게는 천둥소리처럼 크게 들린답니다.

둘째, 텔레비전을 보거나 음악을 들을 때에는 소리를 적당하게 맞춰 주세요. 자신에게는 듣기 좋은 소리일지 모르나 이웃에게는 시끄러운 소음이 될 수 있어요.

셋째, 청소는 될 수 있으면 낮에 해 주세요. 아침이나 늦은 밤에 청소기를 돌리면 청소기에서 나는 시끄러운 소리 때문에 이웃이 편안히 쉬기가 힘들답니다.

어휘 풀이

▼**공동**|함께 공 共, 같을 동 同| 둘 이상의 사람이나 단체가 함께 일을 하거나, 같은 자격으로 관계를 가짐.
예 공동으로 사용하는 물건은 소중히 다루자.

▼**층간 소음**|층 층 層, 사이 간 間, 떠들 소 騷, 소리 음 音| 아파트와 같은 공동 주택에서 아랫집에 들리는, 윗집이 생활하며 내는 시끄러운 소리. 예 윗집의 층간 소음 때문에 잠을 자기가 힘들다.

▼**실내**|집 실 室, 안 내 內| 방이나 건물 따위의 안. 예 실내에서는 모자를 벗는 것이 예의이다.

▼**음악**|소리 음 音, 풍류 악 樂| 사람의 생각이나 감정을 목소리나 악기 등의 소리를 통하여 나타내는 예술.

▼**청소**|맑을 청 淸, 쓸 소 掃| 더럽거나 어지러운 것을 쓸고 닦아서 깨끗하게 함. 예 내 방을 청소했다.

1
이해

이 글에서 설명하는 내용은 무엇인가요? (   )

① 층간 소음의 뜻

② 층간 소음 때문에 생기는 병

③ 층간 소음 때문에 일어나는 사회 문제

④ 층간 소음이 우리 몸에 끼치는 좋은 영향

⑤ 층간 소음을 줄이기 위해 지켜야 할 예절

2주
5일

2
표현

글쓴이는 ㉠을 무엇에 빗대어 표현하였는지 이 글에서 찾아 쓰세요.

(   )

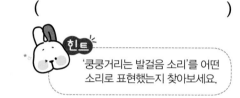

힌트

'쿵쿵거리는 발걸음 소리'를 어떤 소리로 표현했는지 찾아보세요.

서술형

3
이해

글쓴이가 청소는 될 수 있으면 낮에 해 달라고 한 까닭을 쓰세요.

아침이나 늦은 밤에 청소기를 돌리면 _____

_____ 이웃이 편안

히 쉬기가 힘들기 때문이다.

스스로 독해 해결!

4
요약

이 글에서 알리려는 내용을 정리하여 빈칸에 알맞은 말을 각각 쓰세요.

충간 소음을 줄이기 위해 지켜야 할 예절

• 실내에서는 뛰지 말고 사뿐사뿐 걷는다.

• 텔레비전을 보거나 음악을 들을 때에는 ❶ [ ][ ] 를 적당하게 맞춘다.

• ❷ [ ][ ] 는 될 수 있으면 낮에 한다.

▶ 정답 및 해설 18쪽

1 다음 낱말의 뜻을 잘 읽고 빈칸에 알맞은 낱말을 각각 찾아 쓰세요.

> **반드시**   틀림없이 꼭.
>
> **반듯이**   작은 물체, 또는 생각이나 행동 따위가 비뚤어지거나 기울거나 굽지 않고 바르게.

(1) ☐☐☐ 가수가 될 것이다.

(2) 의자에 ☐☐☐ 앉았다.

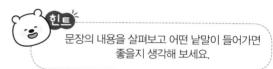

> **힌트**
> 문장의 내용을 살펴보고 어떤 낱말이 들어가면 좋을지 생각해 보세요.

2 다음과 같이 빈칸에 알맞은 모양을 흉내 내는 말을 보기 에서 찾아 쓰세요.

> 실내에서는 뛰지 말고 **사뿐사뿐** 걸어 주세요.

> **보기**
>
> 차곡차곡   폴짝폴짝   살랑살랑

(1) 개구리가 ☐☐☐☐ 뛰었다.

(2) 강아지가 꼬리를 ☐☐☐☐ 흔들었다.

● 공동 주택에 사는 주민들이 지켜야 할 예절에 맞는 행동이면 ○, 맞지 <u>않는</u> 행동이면 ×의 길을 갈 수 있어요. 고양이 미미가 모든 집을 거쳐 자신의 집에 도착할 수 있도록 선을 그어 보세요.

「층간 소음, 서로 양보하면 줄일 수 있어요」의 내용을 떠올리며 **공동 주택에 사는 주민들이 지켜야 할 예절**을 더 알아봅니다.

2주 누구나 100점 테스트

[1~2] 다음 글을 읽고, 물음에 답하세요.

아침이에요.

이 집 식구들이 돌아올 시간이 거의 다 되었어요.

이제 토끼는 자기 집으로 돌아가야 해요.

바로 베란다가 토끼 집이지요.

1 토끼가 자기 집으로 돌아가려는 까닭은 무엇인지 알맞은 것에 ○표를 하세요.

(1) 잠을 자기 위해서 (　　　)

(2) 먹을 것이 떨어져서 (　　　　)

(3) 식구들이 돌아올 시간이 다 되어서

(　　　)

2 토끼 집은 어디인지 이 글에서 찾아 쓰세요.

(　　　　　　)

3 다음 밑줄 그은 말과 뜻이 반대인 말은 무엇인가요? (　　　)

> 발끝에 <u>더러운</u> 것들이 묻으면 어떻게 될까?

① 넓은　　　　② 맛있는

③ 귀여운　　　④ 깨끗한

⑤ 시끄러운

[4~5] 다음 글을 읽고, 물음에 답하세요.

"제 손이 닿는 것은 무엇이든 황금으로 변하게 해 주십시오."

미다스 왕의 말에 디오니소스는 매우 실망한 표정을 지으며 말했습니다.

"그것 말고 다른 소원을 빌 생각은 없소?"

"황금이 생기는 것보다 더 좋은 소원이 어디 있겠습니까?"

디오니소스는 하는 수 없이 미다스 왕의 소원을 들어주기로 했습니다.

미다스 왕은 뛸 듯이 　㉠　 궁전으로 돌아갔습니다.

4 미다스 왕의 소원은 무엇인지 알맞은 것에 ○표를 하세요.

(1) 궁전을 새로 짓는 것 (　　　　)

(2) 디오니소스와 친구가 되는 것

(　　　)

(3) 자신의 손이 닿는 것은 무엇이든 황금으로 변하는 것 (　　　)

5 　㉠　 안에 들어갈 미다스 왕의 마음으로 알맞은 것은 무엇인가요? (　　　　)

① 화내며　　　② 기뻐하며

③ 슬퍼하며　　④ 미안해하며

⑤ 무서워하며

▶ 정답 및 해설 18쪽

[6~7] 다음 글을 읽고, 물음에 답하세요.

돌고래나 북극곰처럼 아주 넓은 곳에 사는 동물이나 코끼리처럼 대가족이 모여 사는 동물들은 동물원 생활이 맞지 않아요. 아무리 시설이 잘 되어 있다고 해도 동물원은 야생과 같은 수준의 환경을 제공할 수 없지요. 예를 들어 돌고래는 하루 100킬로미터 이상을 이동하는데 이런 활동을 만족시킬 수족관을 만들 수 없어요. 이렇다 보니 동물원의 동물들은 운동이 부족해 근육이 줄어들고, 병에 잘 걸리거나 스트레스를 받아요.

6 돌고래, 북극곰, 코끼리에게 동물원 생활이 맞지 않는 까닭은 무엇인지 빈칸에 알맞은 말을 쓰세요.

동물원은 ( )과 같은 수준의 환경을 제공할 수 없기 때문에

7 이 글에서 글쓴이가 하고 싶은 말은 무엇인가요? ( )

① 동물원은 없어져야 한다.
② 동물원을 많이 만들어야 한다.
③ 동물원에 사는 동물은 행복하다.
④ 동물원에 사는 동물의 수를 늘려야 한다.
⑤ 동물에게 작은 우리를 만들어 주어야 한다.

[8~10] 다음 글을 읽고, 물음에 답하세요.

공동 주택에 사는 주민들이 모두 행복한 생활을 할 수 있도록 층간 소음을 줄이기 위한 예절을 ㉠반듯이 지켜 주세요.

첫째, 실내에서는 뛰지 말고 ㉡ 걸어 주세요. 쿵쿵거리는 발걸음 소리가 아랫집에 사는 사람에게는 천둥소리처럼 크게 들린답니다.

둘째, 텔레비전을 보거나 음악을 들을 때에는 소리를 적당하게 맞춰 주세요. 자신에게는 듣기 좋은 소리일지 모르나 이웃에게는 시끄러운 소음이 될 수 있어요.

8 이 글에서 설명하는 내용은 무엇인지 빈칸에 알맞은 말을 쓰세요.

( )을 줄이기 위해 지켜야 할 예절

9 ㉠을 바르게 고쳐 쓰세요.

( )

10 ㉡ 안에 들어갈 말로 알맞은 것을 두 가지 고르세요. ( )

① 사뿐사뿐　　　② 쿵쾅쿵쾅
③ 살금살금　　　④ 쓱싹쓱싹
⑤ 보글보글

1 다음 만화를 읽고, 2주차에서 배운 낱말을 떠올려 어휘 퀴즈에 알맞은 낱말을 빈칸에 각각 쓰세요.

2주
특강

어휘 퀴즈

❶ '맛을 느끼는 감각.'을 뜻하는 말은? →

❷ '도구, 기계, 장치 따위를 베풀어 설비함. 또는 그런 설비.'를 뜻하는 말은?

→

❸ '내 ○○은 세계 여행을 떠나는 것이다.'의 빈칸에 들어갈 알맞은 말은? →

융합

2 「도대체 그동안 무슨 일이 일어났을까?」를 읽고, 색종이로 토끼 집을 꾸며 줄 꽃을 만들었어요. 각 도형이 몇 개씩 사용되었는지 각각 숫자로 쓰세요.

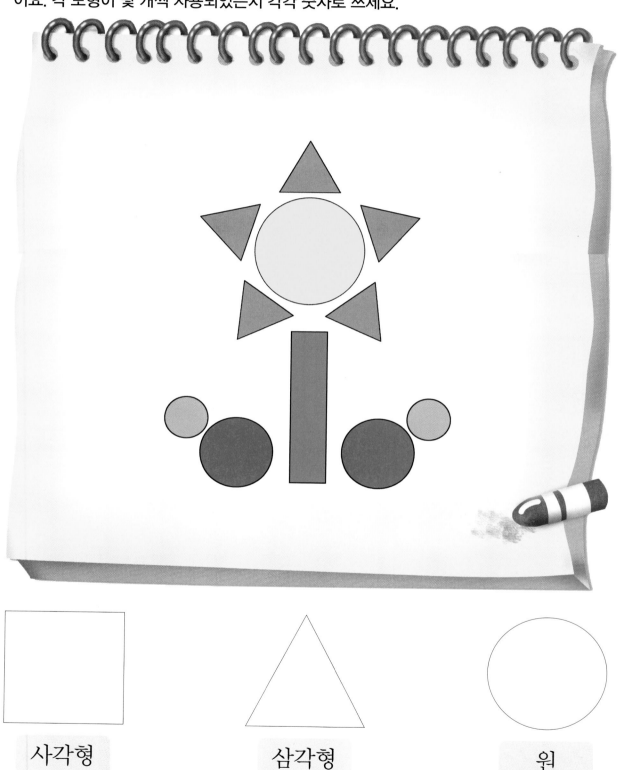

사각형
(　　　　)개

삼각형
(　　　　)개

원
(　　　　)개

코딩

3 「동물원은 없어져야 한다」를 읽고, 다음 게임 화면에서 동물원에 갇혀 있던 코끼리가 숲으로 돌아갈 수 있도록 코딩 카드에 알맞은 숫자를 쓰세요.

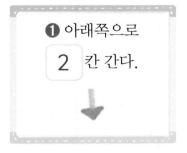

❶ 아래쪽으로
2 칸 간다.

❷ 오른쪽으로
칸 간다.

❸ 아래쪽으로
1 칸 간다.

창의

4 다음 긴급 재난 문자 메시지를 보고 알맞은 말에 ◯표를 하세요.

생활 어휘

전국에 폭염 경보가 발효되었다는 문자 메시지네.

[행정안전부]
전국에 폭염 경보 발효 중, 논밭, 건설 현장 등 야외 작업은 되도록 하지 마시고, 충분한 물 마시기 등 건강 관리에 힘써 주시기 바랍니다.

폭염이 오면 어떻게 해야 하는지 잘 살펴보면 돼.

애들아! 전국에 폭염 경보 발효 중이라는 건 우리나라 모든 곳의 기온이 매우
(1)(높으니 , 낮으니) 조심하라는 신호가 내려졌다는 뜻이야.
야외 작업을 하지 말라고 했으니 건물 (2)(밖 , 안)에서 하는 작업은 되도록 하지 말아야겠지?

어휘 풀이

▼**폭염 경보**|나타낼 폭 暴, 불탈 염 炎, 경계할 경 警, 알릴 보 報| 하루 최고 기온이 35도 이상인 상태가 2일 이상 계속될 것으로 예상되어 조심하도록 미리 알려 주는 것.

▼**발효**|필 발 發, 본받을 효 效| 조약, 법, 공문서 따위의 효력이 나타남. 또는 그 효력을 나타냄.

▼**현장**|나타낼 현 現, 마당 장 場| 일을 실제 진행하거나 작업하는 그곳.
   예 생산 <u>현장</u>에 실습을 갔다.

▼**야외**|들 야 野, 바깥 외 外| 건물 밖. 예 이모는 <u>야외</u>에서 결혼식을 하셨다.

창의
5
생활 한자

食(먹을 식) 자에 대해 알아보고, 다음 물음에 답하세요.

食
먹을 **식**

食 자는 음식을 담는 그릇을 그린 것으로, '밥', '음식', '먹다'의 뜻을 표현한 글자예요.

2주
특강

(1) 食 자가 들어간 낱말을 알아보고, 한자의 음을 쓰세요.

① 아버지께서는 상한 飮食을 드시고 배탈이 나셨다.

음 [ ]

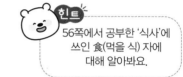
힌트
56쪽에서 공부한 '식사'에 쓰인 食(먹을 식) 자에 대해 알아봐요.

② 앞으로 인간의 중요한 문제 가운데 하나는 食糧 문제이다.

[ ] 량

(2) 한자 성어의 뜻을 알아보고, 빈칸에 알맞은 한자를 쓰세요.

弱 肉 強 食
약할 **약**　고기 **육**　강할 **강**　먹을 **식**

약한 자가 강한 자에게 먹힌다는 뜻으로, 약한 자가 강한 자에게 끝내는 멸망됨을 이르는 말임.

• 호랑이가 토끼를 잡아먹는 것은 弱 肉 強 [ ] (약육강식)의 법칙이다.

1-1 ☐ 안에 들어갈 바른 낱말을 골라 ◯표를 하세요.

아침부터 밤까지 땀을 ☐ 흘리며 열심히 일을 한 형제는 가을이 되자 많은 벼를 거둘 수 있었단다.

영영   뻘뻘

1-2 다음 낱말을 넣어 짧은 글을 지은 것으로 알맞은 것을 골라 ◯표를 하세요.

뻘뻘

(1) 날씨가 더워서 땀이 비 오듯이 뻘뻘 났다.

(   )

(2) 접시가 깨져서 뻘뻘 소리가 났다.

(   )

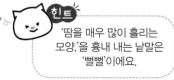

힌트
'땀을 매우 많이 흘리는 모양.'을 흉내 내는 낱말은 '뻘뻘'이에요.

▶ 정답 및 해설 20쪽

2-1 다음 문장에 넣을 바른 낱말을 골라 ○표를 하세요.

'보릿고개'는 햇보리가 나올 때까지의 넘기 힘든 고개라는 뜻으로, 농촌의 식량 사정이 가장 어려운 때를 빗대어 (이르는 , 이루는) 말이에요.

2-2 다음 문자 메시지에서 밑줄 그은 말을 바르게 고쳐 쓰세요.

진우야, '색바람'은 이른 가을에 부는 선선한 바람을 <u>이루는</u> 말이래.

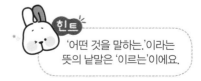

힌트
'어떤 것을 말하는.'이라는 뜻의 낱말은 '이르는'이에요.

이 루 는 ➡ ☐ ☐ ☐

의좋은 형제

이어질 내용을 상상해라!

이야기 「의좋은 형제」를 읽고 이어질 내용을 상상해 보세요.

이야기를 읽고 일이 일어난 차례와 그 일이 생긴 까닭을 생각해 보면

이야기의 흐름에 맞게 이어질 내용을 상상할 수 있어요.

● 오늘 공부할 글의 그림을 미리 보고, 빈칸에 알맞은 낱말을 각각 찾아 쓰세요.

| 형제 | 남매 | 곰곰이 | 꼼꼼히 |

어느 마을에 사이좋은 ❶ ☐☐ 가 살았어요. 가을이 되어 많은 벼를 거둬
└→ 형과 아우를 아울러 이르는 말.

들인 형제는 밤이 되자 각자 ❷ ☐☐☐ 생각에 잠겼지요. 형과 동생은
└→ 여러 모로 깊이 생각하는 모양.

각각 어떤 생각을 했을까요?

의좋은 형제

스스로 독해

형과 동생의 볏단은 어떻게 되었을까요? 점선 부분을 따라 선을 그으며 읽어 보고 답을 생각해 보세요.

옛날 어느 마을에 사이좋은 형제가 살았어. 봄이 되자 형제는 서로 도와 가며 부지런히 농사를 지었어. 아침부터 밤까지 땀을 뻘뻘 흘리며 열심히 일을 한 형제는 가을이 되자 많은 벼를 거둘 수 있었단다. 형과 동생은 거둬들인 벼를 서로 똑같이 나누었어.

그날 밤, 형은 잠들기 전에 곰곰이 생각했어.

'동생에게 곧 아기가 태어날 테니, 동생이 벼를 더 많이 가지는 게 좋겠어.'

형은 논으로 나가 자기 볏단을 동생의 볏단 위에 몰래 올려놓고 왔어. 한편, 동생도 잠을 자려다 말고 형 생각을 했어.

'형님은 제사도 지내야 하고 아이들도 많으니, 쌀이 더 많이 필요할 거야.'

동생도 논으로 나가 자기 볏단을 형의 볏단 위에 살짝 올려놓고 왔어.

어휘 풀이

▼ **의**|옳을 의 誼|**좋은** 서로 사귀어 친하여진 정이 두터운. 예 영수와 그림이는 의좋은 친구이다.

▼ **형제**|형 형 兄, 아우 제 弟| 형과 아우를 아울러 이르는 말.

  예 형제는 자기 자신보다 서로를 먼저 생각했다.

▼ **곰곰이** 여러모로 깊이 생각하는 모양.

  예 화가 난 동생을 달래 줄 방법을 곰곰이 생각해 보았다.

▼ **볏단** 벼를 베어 묶은 단.

▲ 볏단

1
이해

이 이야기의 형과 동생에 대한 설명으로 알맞은 것에 ○표를 하세요.

(1) 사이가 좋고 서로를 생각한다. (　　　　)

(2) 형은 동생을 미워하지만 동생은 형을 사랑한다. (　　　　)

2
이해

서술형

형이 동생에게 볏단을 몰래 가져다준 까닭은 무엇인지 쓰세요.

동생에게 곧 _____

동생이 벼를 더 많이 가지는 것이 좋겠다고 생각했기 때문이다.

3주
1일

3
유추

스스로 독해 해결!

다음 날 아침, 형과 동생의 볏단은 어떻게 되었을지 알맞게 짐작한 것에 ○표를 하세요.

(1) 형과 동생의 볏단이 둘 다 줄지 않고 그대로였을 것이다. (　　　　)

(2) 형에게만 볏단이 잔뜩 있고 동생에게는 볏단이 하나도 남지 않았을 것이다.

(　　　　)

힌트
이야기 앞부분에 나온 내용과
어울려야 해요.

4
요약

이 글에서 일어난 일을 정리하여 빈칸에 알맞은 말을 각각 쓰세요.

사이좋은 형제는 가을이 되자 거두어들인 벼를 ❶ [　　　] 나누었다. 그러나 서로 상대방에게 더 많은 벼가 필요할 것이라고 생각해 밤에 몰래 자기의 ❷ [　　　] 을 상대방의 볏단 위에 올려놓았다.

1 다음 문장에서 바르게 쓴 낱말을 골라 각각 ◯표를 하세요.

	(1) 서로 도와 가며 (부지런이 , 부지런히) 농사를 지은 형제는 가을이 되자 많은 벼를 거둬들였습니다.
	(2) 그날 밤, 형은 잠들기 전에 (곰곰이 , 곰곰히) 생각했습니다.

2 다음 문장의 빈칸에 알맞은 낱말을 각각 찾아 선으로 이으세요.

(1) 두 살 터울의 형 민수와 남동생 연수는 사이 좋은 ◯◯이다. •

• ①
형제

(2) 언니와 나는 똑 닮은 ◯◯로 동네에서 유명하다. •

• ②
남매

(3) 이모는 아들 하나 딸 하나 ◯◯를 낳았다. •

• ③
자매

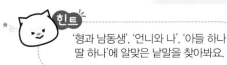
힌트
'형과 남동생', '언니와 나', '아들 하나 딸 하나'에 알맞은 낱말을 찾아봐요.

● 동생이 깜깜한 밤길에서 무서운 동물들을 만나지 않고 무사히 형의 볏단 위에 자신의 볏단을 올려놓을 수 있도록 동생의 생각을 따라 길을 찾아보세요.

형님은 제사를 지내야 해.

형님은 나에게 제사를 지내라고 했어.

형님은 아이들이 많아.

형님에게 곧 아기가 태어날 거야.

내가 형님보다 더 많은 쌀이 필요해.

형님에게 더 많은 쌀이 필요하겠구나!

이야기 「의좋은 형제」의 내용을 떠올리며 **동생이 했을 생각**으로 알맞은 것을 골라 형의 볏단을 무사히 찾아가 보도록 합니다.

2_일 과학 (비문학)
게는 왜 옆으로 걸을까?

공부한 날   월   일

중요한 내용을 찾아 내용을 정리하자!

「게는 왜 옆으로 걸을까?」를 읽고 게가 옆으로 걷는 까닭을 찾아

글의 내용을 정리해 보세요.

중요한 내용이 잘 드러나는 문장을 찾아 정리해 보면

게가 옆으로 걷는 까닭을 한눈에 알 수 있어요.

◑ 오늘 공부할 글과 그림을 미리 보고, 알맞은 낱말을 각각 찾아 표시하세요.

> 게는 대개 10개의 발을 가지고 있는데, 다리가 몸통 옆에 있어서 옆으로 걷지. 게의 다리는 여러 개의 마디로 되어 있는데, 이 각각의 마디는 옆으로만 구부러지게 되어 있어.

1 '거의 모두.'라는 뜻의 낱말을 찾아 ○표를 하세요.

2 '사람이나 동물의 몸에서 머리, 팔, 다리 등을 뺀 중심 부분.'이라는 뜻의 낱말을 찾아 △표를 하세요.

3 '게, 새우, 매미, 잠자리, 거미 같은 동물의 몸을 이루는 각각의 부분.'이라는 뜻의 낱말을 찾아 □표를 하세요.

게는 왜 옆으로 걸을까?

스스로 독해

게는 왜 옆으로 걸을
까요? 게가 옆으로 걷
는 까닭을 생각하면서
점선 부분을 따라 선
을 그으며 글을 읽어
보아요.

대부분의 게는 옆으로 걸어. 왜 그럴까? 게는 대개 10개의 발을 가지고 있는데, 다리가 몸통 옆에 있어서 옆으로 걷지.

게의 다리는 여러 개의 마디로 되어 있는데, 이 각각의 마디는 옆으로만 구부러지게 되어 있어. 우리 다리가 안으로만 구부러지는 것처럼 말이지.

게다가 게의 다리는 앞뒤가 매우 가깝게 붙어 있어. 이러니 앞이나 뒤로 움직이려면 매우 불편하겠지? 이런 이유로 게는 옆으로 걷는 거야.

ⓒ   모든 게가 옆으로 걷는 것은 아니야. 앞으로 걷는 게도 있거든. 바로 밤게가 그 주인공이야. 밤게는 밤톨만 하고 둥글게 생겼는데, 등이 볼록하여 마치 작은 공처럼 보여.

어휘 풀이

▼ **대개**|큰 대 大, 대개 개 槪| 거의 모두. 예 책은 대개 네모 모양이다.

▼ **몸통**   사람이나 동물의 몸에서 머리, 팔, 다리 등을 뺀 중심 부분.

▼ **마디**   게, 새우, 매미, 잠자리, 거미 같은 동물의 몸을 이루는 각각의 부분.
   예 개미의 다리는 여러 개의 마디로 이루어져 있다.

▼ **볼록**   물체의 거죽이 조금 도드라지거나 쏙 내밀린 모양. 예 밥을 많이 먹었더니 배가 볼록 나왔다.

1
이해

이 글에서 알려 주는 내용은 무엇인가요? (   )

① 게가 옆으로 걷는 까닭   ② 게가 갯벌에 사는 까닭

③ 게의 다리가 열 개인 까닭   ④ 게에게 집게발이 있는 까닭

⑤ 게의 등껍질이 딱딱한 까닭

2
문법

☐ㄱ 안에 들어갈 알맞은 말에 ◯표를 하세요.

(1) 그리고 (   )

(2) 하지만 (   )

힌트

'그리고'는 앞의 내용과 뒤의 내용이 서로
비슷할 때, '하지만'은 앞 내용과 뒷 내용이
다르거나 반대일 때 사용해요.

3주
2일

3
이해

서술형

앞으로 걷는 게인 '밤게'의 생김새를 찾아 쓰세요.

밤게는 밤톨만 하고 둥글게 생겼는데, ＿＿＿＿＿＿＿＿＿＿＿

＿＿＿＿＿＿＿＿＿＿＿＿＿＿＿＿＿＿＿＿＿＿＿＿＿＿＿＿＿

4
요약

스스로 독해 해결!

이 글을 읽고 게가 옆으로 걷는 까닭을 정리하여 빈칸에 알맞은 말을 각각 쓰세요.

• ❶ ☐☐ 가 몸통 옆에 있다.

• 다리에 있는 각각의 ❷ ☐☐ 가 옆으로
만 구부러지게 되어 있다.

• 게의 다리는 ❸ ☐☐ 가 매우 가깝게 붙
어 있다.

대부분의 게는 옆으로 걷는다.

1 다음 그림과 문장에 알맞은 낱말을 골라 각각 ◯표를 하세요.

	(1) 대부분의 (개 , 게)는 옆으로 걷는다.
	(2) 아버지와 함께 (배 , 베)를 타고 독도에 가기로 했다.

2 다음 문장에 쓰인 '다리'의 뜻으로 알맞은 그림을 각각 선으로 이으세요.

(1) 한강에는 스무 개가 넘는 다리가 있다. ·

· ①

(2) 게의 다리는 앞뒤가 매우 가깝게 붙어 있다. ·

· ②

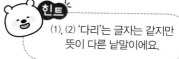
힌트
(1), (2) '다리'는 글자는 같지만 뜻이 다른 낱말이에요.

○ 게는 갯벌에 살아요. 게와 함께 갯벌에 사는 친구들은 누가 있는지 사진을 보고 보기 에
서 알맞은 이름을 각각 찾아 쓰세요.

3주
2일

보기
조개   갯지렁이   불가사리

(1)	(2)	(3)

 「게는 왜 옆으로 걸을까?」를 읽으며 게의 모습을 상상해 보고, 게와 함께 갯벌에 사는 다른 생물들의 생김새에 대해 더 알아
봅니다.

추운 날

시를 읽으며 경험을 떠올려라!

동시 「추운 날」을 읽고 자신의 경험을 떠올려 보아요.
시에 나오는 인물이 한 일과 그때 한 생각을 알아보면
그와 비슷한 경험을 떠올릴 수 있어요.

◉ 오늘 공부할 글과 그림을 미리 보고, 알맞은 낱말을 각각 찾아 표시하세요.

대문 앞에서 친구를 기다리는
내 마음
알지도 못하고…….

팽, 팽, 팽, 돌고 싶은 팽이가
내 주머니 속에서
친구를 동동 기다리는 줄도 모르고…….

1 '주로 집의 앞쪽에 있어 사람들이 드나드는 큰 문.'이라는 뜻의 낱말을 찾아 ○표를 하세요.

2 '매우 안타깝거나 추워서 발을 가볍게 자꾸 구르는 모양.'이라는 뜻의 낱말을 찾아 △표를 하세요.

동시
「추운 날」
듣기

추운 날

이준관

스스로 독해

이 시에서 '내'가 기다리는 사람은 누구일까요? 시의 점선 부분을 따라 선을 그으며 읽고 답해 보세요.

추운 날 혼자서
대문 앞에 서 있으면요,

지나가던 아저씨가
– 엄마를 기다리니? 발 시리겠다.

지나가던 아주머니가
– 원, 저런. 감기 걸리겠다. 집에 들어가거라.

지나가던 강아지가
– 야단맞고 쫓겨났군. 안됐다. 컹컹.

대문 앞에서 친구를 기다리는
내 마음
알지도 못하고……

ㅣ ㉠ ㅣ 돌고 싶은 팽이가
내 주머니 속에서
친구를 동동 기다리는 줄도 모르고……

어휘 풀이

▼ **팽이** 둥글고 짧은 나무의 한쪽 끝을 뾰족하게 깎아서 쇠구슬 따위의 심을 박아 만든 아이들의 장난감. 주로 채로 치거나 끈을 몸통에 감았다가 끈을 잡아당겨 돌림.

▼ **동동** 매우 안타깝거나 추워서 발을 가볍게 자꾸 구르는 모양.

예 그는 불이 난 집을 보며 발을 동동 굴렸다.

▲ 팽이

▶ 정답 및 해설 22쪽

1
어휘

ㄱ 안에 들어갈 흉내 내는 말은 무엇인가요? (   )

① 팽, 팽, 팽,   ② 뚝, 뚝, 뚝,

③ 철, 철, 철,   ④ 콸, 콸, 콸,

⑤ 둥, 둥, 둥,

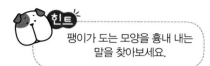

힌트
팽이가 도는 모양을 흉내 내는 말을 찾아보세요.

2
이해

스스로 독해 해결!

이 시에서 '내'가 기다리는 사람은 누구인가요? (   )

① 엄마   ② 친구

③ 아저씨   ④ 강아지

⑤ 아주머니

3주
3일

3
유추

서술형

'내'가 **2**에서 답한 사람을 기다리는 까닭은 무엇일지 쓰세요.

함께 _____

4
요약

이 시의 내용을 정리하여 빈칸에 알맞은 말을 각각 쓰세요.

추운 날 대문 앞에 서 있는 '나'를 보고 아저씨, 아주머니, ❶ ☐☐☐ 는 걱정하는 말을 했지만, 사실 '나'는 주머니 속에 ❷ ☐☐ 를 넣고 친구를 기다리고 있다.

1 다음 낱말의 뜻을 잘 읽고 빈칸에 알맞은 낱말을 각각 찾아 쓰세요.

> **컹컹** 개가 크게 짖는 소리.
>
> **팽팽** 일정한 좁은 범위를 자꾸 도는 모양.
>
> **동동** 매우 안타깝거나 추워서 발을 가볍게 자꾸 구르는 모양.

(1) 친구와 함께 팽이를 ☐☐ 돌리며 놀았다.

(2) 지나가던 강아지가 나를 보고 ☐☐ 짖었다.

(3) 추운 겨울날 손을 호호 불며 발을 ☐☐ 굴렀다.

2 다음 그림과 어울리는 낱말을 각각 선으로 이으세요.

(1)  •

• ① 신다

(2)  •

• ② 돌리다

(3)  •

• ③ 짖다

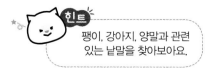

힌트
팽이, 강아지, 양말과 관련
있는 낱말을 찾아보아요.

● 친구들이 하루 동안 있었던 각자의 경험을 떠올리고 있어요. 친구의 말과 시계가 나타내
는 시간이 알맞지 <u>않은</u> 그림에 ×표를 해 보세요.

동시 「추운 날」의 '나'처럼 친구를 기다려 본 경험 등 각자의 다양한 경험을 떠올려 보며 **시계를 보는 방법**을 익혀 봅니다.

2단계-Ⓑ • **113**

봄과 관련된 우리말

공부한 날　　　월　　　일

글의 제목을 살펴라!

글의 제목을 살펴보면, 글의 내용을 짐작해 볼 수 있어요.
「봄과 관련된 우리말」이라는 제목을 보면 봄에 대한 우리말에 관한
내용일 것이라고 짐작할 수 있어요.

● 오늘 공부할 글의 그림을 미리 보고, 빈칸에 알맞은 낱말을 각각 찾아 쓰세요.

샘내어	셈하여	계절	음식

우리나라는 사계절이 뚜렷해서 ❶ [ ][ ] 에 관한 우리말이 많다고 해요.

> 일 년을 자연 현상에 따라 봄, 여름, 가을, 겨울로 나눈 것의 한 때.

예를 들어 '꽃샘'은 봄에 꽃이 피는 것을 ❷ [ ][ ][ ] 몰아치는 추위를 말

> 남의 것을 탐내거나, 자기보다 형편이 나은 사람을 부러워하거나 싫어하는 마음을 먹어.

하지요. 그렇다면 봄에 대한 우리말을 더 알아볼까요?

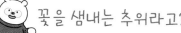
봄에 대해
알아보기

봄과 관련된 우리말

스스로 독해

◯ 속 낱말을 색칠해 보아요. 이 글이 무엇과 관련된 우리말에 대해 알려 주고 있는지 짐작할 수 있어요.

우리나라는 사계절이 뚜렷해서 계절에 관한 우리말이 많아요. 그중 봄과 관련된 우리말에는 어떤 것들이 있을까요?

'꽃샘'은 본래 꽃을 샘낸다는 뜻이에요. 봄에 꽃이 피는 것을 샘내어 매섭게 몰아치는 추위를 나타내는 말이지요. 흔히 '꽃샘추위'라고도 해요. 비슷한 말로는 '잎샘추위'가 있어요.

옛날 먹고살기 어렵던 시절에는 봄이 되면 지난해 가을에 거둔 쌀과 곡식이 떨어져 굶는 사람이 많았어요. 그러다 초여름이 되어 보리를 거두게 되면 다시 식량 사정이 나아졌지요. '보릿고개'는 햇보리가 나올 때까지의 넘기 힘든 고개라는 뜻으로, 농촌의 식량 사정이 가장 어려운 때를 빗대어 이르는 말이에요.

어휘 풀이

▼ **샘낸다** 남의 것을 탐내거나, 자기보다 형편이 나은 사람을 부러워하거나 싫어하는 마음을 먹는다.
　　⑨ 지현이가 민수의 성공을 샘낸다는 이야기를 들었다.
▼ **식량** |먹을 식 食, 양식 량 糧| 살아남기 위하여 필요한 사람의 먹을거리.
　　⑨ 식량 창고에 쌀을 잔뜩 쌓아 두었다.
▼ **햇보리** 그해에 처음 난 보리. ⑨ 여름이 다가오면 햇보리를 수확한다.

1
이해

무엇에 대해 설명하는 글인가요? (   )

① 꽃의 종류

② 봄과 관련된 우리말

③ 농촌과 도시의 차이점

④ 보리농사를 짓는 방법

⑤ 식량 문제를 해결할 수 있는 방법

2
이해

서술형

'보릿고개'의 뜻은 무엇인지 글에서 찾아 쓰세요.

햇보리가 나올 때까지의 넘기 힘든 고개라는

뜻으로, 농촌의 _____

_____를 빗대어 이르는 말이다.

3
어휘

다음 중 봄과 관련된 우리말이 <u>아닌</u> 것에 ×표를 하세요.

(1) 잎샘추위 (   )

(2) 보릿고개 (   )

(3) 가을갈이 (   )

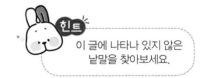

힌트

이 글에 나타나 있지 않은
낱말을 찾아보세요.

4
요약

봄과 관련된 우리말을 정리하여 빈칸에 알맞은 말을 각각 쓰세요.

❶ ⬜⬜ : 봄에 꽃이 피는 것을 샘내어 매섭게 몰아치는 추위를 나타내
는 말.

❷ ⬜⬜⬜⬜ : 농촌의 식량 사정이 가장 어려운 때를 빗대어 이르
는 말.

1 보기 를 보고, 다음 낱말의 빈칸에 공통으로 들어갈 글자는 무엇인지 쓰세요.

보기

햇보리 그해에 처음 난 보리.

(1) ☐ 곡식: 그해에 새로 난 곡식.

(2) ☐ 과일: 그해에 새로 난 과일.

(3) ☐ 비둘기: 그해에 나서 자란 비둘기.

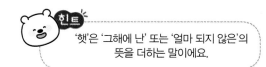
힌트
'햇'은 '그해에 난' 또는 '얼마 되지 않은'의 뜻을 더하는 말이에요.

2 다음 문장에서 밑줄 그은 낱말과 뜻이 반대인 낱말을 보기 에서 각각 찾아 쓰세요.

보기

| 적다 | 작다 | 더위 | 냉기 |

(1) '꽃샘'은 봄에 꽃이 피는 것을 샘내어 매섭게 몰아치는 <u>추위</u>이다. ↔ ☐ ☐

(2) 봄이 되면 가을에 거둔 쌀과 곡식이 떨어져 굶는 사람이 <u>많다</u>. ↔ ☐ ☐

● 우리나라는 사계절이 뚜렷해서 계절에 대한 우리말이 많아요. 또 계절별로 먹는 음식도 다양하지요. 각 계절에 즐겨 먹는 음식을 사다리 타기 놀이를 하여 찾아보세요.

봄 여름 가을 겨울

송편 팥죽 화전 삼계탕

 「봄과 관련된 우리말」의 내용을 떠올리며 우리나라에서 **계절별로 즐겨 먹는 음식**에 대해서도 알아봅니다.

지진 대피 요령

공부한 날   월   일

글을 읽거나 들은 뒤에 정리해라!

「지진 대피 요령」을 읽고 글을 정리하는 방법을 떠올려
스스로 내용을 정리해 보아요.
지진 대피 장소에 따라 나뭇가지 모양으로 내용을 정리하면
한눈에 보기 쉽고 이해하기 쉬울 거예요.

● 오늘 공부할 글의 그림을 미리 보고, 빈칸에 알맞은 낱말을 보기 에서 각각 찾아 쓰세요.

보기

대피   지진   탑승

3주
5일

❶ ☐☐

화산 활동이나 땅속의 큰 변화 때문에 땅이 흔들리는 현상.
㉠ ○○이 나면 머리를 보호하기 위해 책상 밑으로 들어가야 한다.

❷ ☐☐

위험을 피해 잠깐 안전한 곳으로 감.
㉠ 지진이 나면 운동장이나 공터로 ○○한다.

❸ ☐☐

배나 비행기, 차 따위에 올라탐.
㉠ 지진이 일어나면 엘리베이터에 ○○하면 안 된다.

지진이 나면 어떻게 해야 한다고?

우리나라의 대지진
발생 가능성
알아보기

스스로 독해

글의 내용을 정리할 때 꼭 들어 가야 할 중요한 내용은 무엇 인가요? 점선 부분을 따라 선을 그으며 읽어 보고 답을 생각해 보세요.

지진 대피 요령

학교

책상 밑으로 들어가 머리를 보호해요.

선생님의 안내에 따라
운동장이나 공터로 대피해요.

집

전기를 차단하고
가스 밸브를 잠근 뒤 대피해요.

엘리베이터에 탑승하지 말고
질서를 지켜 계단으로 이동해요.

어휘 풀이

▼ **지진** | 땅 지 地, 벼락 진 震 | 화산 활동이나 땅속의 큰 변화 때문에 땅이 흔들리는 현상.
　예 평소에 지진 대피 요령을 익혀 두어야 한다.

▼ **요령** | 중요할 요 要, 거느릴 령 領 | 일을 하는 데 꼭 필요한 묘한 이치. 예 암기를 빨리 하는 요령을 터득했다.

▼ **공** | 빌 공 空 | **터** 집이나 밭 따위가 없는 비어 있는 땅. 예 한적한 시골 마을에 넓은 공터가 있었다.

▼ **대피** | 기다릴 대 待, 피할 피 避 | 위험이나 피해를 입지 않도록 일시적으로 피함.
　예 항공기 사고가 일어나면 승무원의 지시에 따라 대피해야 한다.

▼ **차단** | 막을 차 遮, 끊을 단 斷 | 액체나 기체의 흐름 또는 통로를 막거나 끊어서 통하지 못하게 함.
　예 소음을 차단하기 위해 귀마개를 썼다.

▼ **탑승** | 탈 탑 搭, 탈 승 乘 | 배나 비행기, 차 따위에 올라탐. 예 사람들은 일본으로 가는 배에 탑승했다.

서술형

1
이해

지진이 발생했을 때 책상 밑으로 들어가야 하는 까닭을 쓰세요.

_____ 위해서 책상
밑으로 들어가야 한다.

2
이해

지진이 발생했을 때 아래층으로 내려가기 위해 사용해야 할 수단으로 알맞은 것에
○표를 하세요.

(1) (　　　　) 　　　　　　　　　　　(2) (　　　　)

스스로 독해 **해결!**

3
요약

다음은 이 글을 읽고 난 뒤에 내용을 정리한 것입니다. 잘못 정리한 부분을 고르세
요. (　　　　)

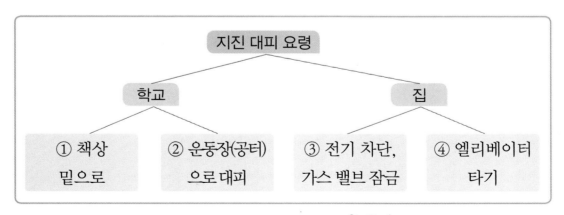

지진 대피 요령

학교　　　　　　　　　　　　　　　집

① 책상　　　② 운동장(공터)　　③ 전기 차단,　　④ 엘리베이터
밑으로　　　　으로 대피　　　　가스 밸브 잠금　　　타기

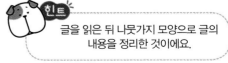
힌트
글을 읽은 뒤 나뭇가지 모양으로 글의
내용을 정리한 것이에요.

▶ 정답 및 해설 24쪽

1 다음 낱말의 뜻을 잘 읽고 빈칸에 알맞은 낱말을 각각 골라 ◯표를 하세요.

> **대피** 위험을 피해 잠깐 안전한 곳으로 감.
>
> **대비** 앞으로 일어날지도 모르는 어떠한 일에 대응하기 위하여 미리 준비함. 또는 그런 준비.

(1) 비상사태에 (대피 , 대비)하여 미리 식량을 사 두었다.

(2) 영화관에 불이 나서 안전 요원의 안내에 따라 (대피 , 대비)하였다.

2 보기 와 같이 문장에서 밑줄 그은 낱말을 각각 바르게 고쳐 써 보세요.

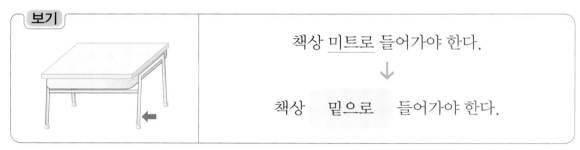

보기

책상 <u>미트로</u> 들어가야 한다.

↓

책상 **밑으로** 들어가야 한다.

(1) 집 안으로 <u>자근</u> 벌이 날아 들어왔다.

집 안으로 　　　　　 벌이 날아 들어왔다.

(2) 꽃밭에 예쁜 꽃이 <u>마니</u> 피었다.

꽃밭에 예쁜 꽃이 　　　　　 피었다.

힌트

글자와 소리가 다른 낱말을 쓸 때에는 더욱 주의해야 해요.

● 지진이 온다는 사실을 미리 알 수 있을지 알아볼까요? 다음 만화를 잘 보고 알맞은 말을
골라 각각 ○표를 하세요.

지진계는 (1) (지진을 예측하는 , 지진파를 기록하는) 기계로, 지진이 오는 것을
미리 아는 일은 매우 (2) (쉽다 , 어렵다).

 「지진 대피 요령」의 내용을 떠올려 보고 지진이 나기 전에 **지진을 예측할 수 있을지**에 대해서도 더 알아봅니다.

[1~3] 다음 글을 읽고, 물음에 답하세요.

그날 밤, 형은 잠들기 전에 ⬚ ㉠ 생각했어.

'동생에게 곧 아기가 태어날 테니, 동생이 벼를 더 많이 가지는 게 좋겠어.'

형은 논으로 나가 자기 볏단을 동생의 볏단 위에 몰래 올려놓고 왔어.

1 ㉠ 안에 들어갈 말로 알맞은 것에 ○표를 하세요.

(곰곰이 , 곰곰히)

2 형은 왜 동생이 벼를 더 많이 가지는 게 좋겠다고 생각했는지 알맞은 것에 ○표를 하세요.

(1) 벼를 쌓아 둘 곳이 부족해서 ( )

(2) 동생에게 곧 아기가 태어나서
( )

(3) 동생이 벼를 더 달라고 부탁하여서
( )

3 이 글에 나타난 형의 성격은 어떠한가요?
( )

① 겁이 많다.
② 욕심이 많다.
③ 거짓말을 잘한다.
④ 마음이 따뜻하다.
⑤ 남에게 잘 속는다.

[4~6] 다음 글을 읽고, 물음에 답하세요.

게는 대개 10개의 발을 가지고 있는데, ㉠다리가 몸통 옆에 있어서 옆으로 걷지.

게의 다리는 여러 개의 마디로 되어 있는데, 이 각각의 마디는 옆으로만 구부러지게 되어 있어. 우리 다리가 안으로만 구부러지는 것처럼 말이지.

게다가 게의 다리는 앞뒤가 매우 가깝게 붙어 있어. 이러니 앞이나 뒤로 움직이려면 매우 불편하겠지? 이런 이유로 게는 옆으로 걷는 거야.

4 이 글에서 알려 주는 내용은 무엇인지 빈칸에 알맞은 말을 쓰세요.

게가 ( ) 걷는 까닭

5 다음 밑줄 그은 말이 ㉠과 같은 뜻으로 쓰인 것에 ○표를 하세요.

(1) 다리가 아파서 의자에 앉았다.
( )

(2) 다리가 좁아서 차가 지나갈 수 없다.
( )

6 이 글에 나타난 게에 대한 설명으로 알맞지 않은 것은 무엇인가요? ( )

① 다리가 몸통 옆에 있다.
② 10개의 발을 가지고 있다.
③ 다리에는 여러 개의 마디가 있다.
④ 다리는 앞뒤가 매우 가깝게 붙어 있다.
⑤ 다리에 있는 마디는 뒤로만 구부러진다.

▶ 정답 및 해설 24쪽

점수

[7~8] 다음 시를 읽고, 물음에 답하세요.

추운 날

추운 날 혼자서
대문 앞에 서 있으면요,

지나가던 아저씨가
– 엄마를 기다리니? 발 시리겠다.

지나가던 아주머니가
– 원, 저런. 감기 걸리겠다. 집에 들어가거라.

지나가던 강아지가
– 야단맞고 쫓겨났군. 안됐다. 컹컹.

대문 앞에서 친구를 기다리는
내 마음
알지도 못하고⋯⋯.

7 이 시에서 '내'가 기다리는 사람은 누구인지 쓰세요.

( )

8 이 시의 내용과 비슷한 경험을 떠올린 친구의 이름을 쓰세요.

다영: 동생이랑 싸우고 엉엉 울었던 경험이 떠올라.
준수: 시장에 가신 엄마를 애타게 기다렸던 경험이 떠올라.

( )

9 ㉠과 뜻이 비슷한 말을 두 가지 찾아 쓰세요.

'㉠꽃샘'은 본래 꽃을 샘낸다는 뜻이에요. 봄에 꽃이 피는 것을 샘내어 매섭게 몰아치는 추위를 나타내는 말이지요. 흔히 '꽃샘추위'라고도 해요. 비슷한 말로는 '잎샘추위'가 있어요.

(,)

3주
평가

10 다음 글의 내용으로 보아, 지진이 났을 때 대피해야 할 장소로 알맞지 **않은** 것에 ×표를 하세요.

[지진 대피 요령]

학교

• 책상 밑으로 들어가 머리를 보호해요.
• 선생님의 안내에 따라 운동장이나 공터로 대피해요.

집

• 전기를 차단하고 가스 밸브를 잠근 뒤 대피해요.
• 엘리베이터에 탑승하지 말고 질서를 지켜 계단으로 이동해요.

(1) 공터 ( )
(2) 운동장 ( )
(3) 책상 밑 ( )
(4) 엘리베이터 안 ( )

창의

1 다음 만화를 읽고, 3주차에서 배운 낱말을 떠올려 어휘 퀴즈에 알맞은 낱말을 빈칸에 각각 쓰세요.

🐻 어휘 퀴즈

❶ '여러모로 깊이 생각하는 모양.'을 뜻하는 말은? →

❷ '사람이나 동물의 몸에서 머리, 팔, 다리 등을 뺀 중심 부분.'을 뜻하는 말은?

→

❸ '홍수가 나면 높은 곳으로 ○○해야 한다.'의 빈칸에 들어갈 알맞은 말은?

→

융합

2 「게는 왜 옆으로 걸을까?」를 읽고, 꽃게를 사려고 해요. 엄마의 말을 잘 보고, 지우가 사야 할 꽃게에 모두 ◯표를 하세요.

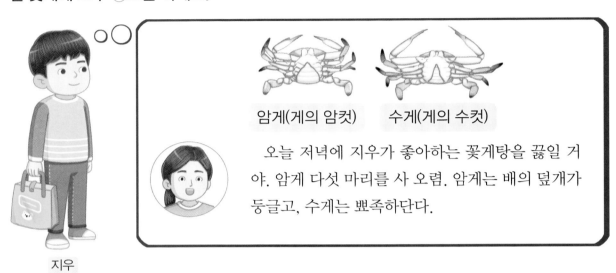

암게(게의 암컷)　　수게(게의 수컷)

　오늘 저녁에 지우가 좋아하는 꽃게탕을 끓일 거야. 암게 다섯 마리를 사 오렴. 암게는 배의 덮개가 둥글고, 수게는 뾰족하단다.

지우

코딩

3 「지진 대피 요령」을 읽고, 대피소에 안전하게 도착할 수 있도록 빈칸에 알맞은 숫자를 넣어 코딩 명령을 완성하세요.

코딩 명령

▶ 시작하기 버튼을 클릭했을 때

⬡ 번 반복하기

➡ 방향으로 **1** 칸 움직이기 ⇄

⬇ 방향으로 **1** 칸 움직이기 ⇄

➡ 방향으로 1칸, ⬇ 방향으로 1칸씩 몇 번을 반복해야 대피소에 무사히 도착할 수 있을까요?

창의
4
생활 어휘

매표소 안내문을 보고 알맞은 말에 ◯표를 하세요.

천재 박물관 매표소

운영 시간		• 매주 월요일 휴관
동절기(11월~2월)	하절기(3월~10월)	• 폐관 한 시간 전
10:00 ~ 19:00	10:00 ~ 20:00	까지 입장 가능

• 지역민 2,000원 할인(신분증 제시)

천재 박물관 매표소에 있는 안내문이네.

운영 시간과 요금 할인 정보를 잘 살펴봐. 휴관일도 잊지 마.

애들아! 매주 (1)(월요일 , 화요일)에는 박물관이 문을 닫아.

(2)(겨울 , 여름)에는 18시, (3)(겨울 , 여름)에는 19시까지는 가야지 박물관에 들어갈 수 있어. 너는 천재 박물관이 있는 지역에 사니까 신분증을 가지고 가면 2,000원 더 (4)(싸게 , 비싸게) 표를 살 수 있다는 점도 잊지 말라고~!

그럼 즐거운 관람되길 바라!

어휘 풀이

▼**동절기**│겨울 동 冬, 마디 절 節, 기약할 기 期│ 겨울철 기간. 예 동절기에는 해가 일찍 진다.

▼**하절기**│여름 하 夏, 마디 절 節, 기약할 기 期│ 여름철 기간. 예 하절기에는 낮이 길다.

▼**휴관**│쉴 휴 休, 객사 관 館│ 도서관, 미술관, 영화관 따위가 일반에 대한 공개 업무를 하루 또는 한동안 쉼.

예 미술관은 다음 전시까지 휴관을 하기로 했다.

▼**폐관**│닫을 폐 閉, 객사 관 館│ 일정 시간에 도서관, 박물관, 영화관 따위의 문을 닫음.

▼**지역민**│땅 지 地, 지경 역 域, 백성 민 民│ 그 지역에서 사는 사람.

예 지역민들은 힘을 합쳐 축제를 열었다.

창의
5
생활 한자

兄(형 형) 자에 대해 알아보고, 다음 물음에 답하세요.

兄 자는 하늘을 향해 입을 벌리고 제사 때 쓰는 글을 읽는 모습으로 '형'을 뜻하는 글자예요.

(1) 兄 자가 들어간 낱말을 알아보고, 한자의 음을 쓰세요.

① 지민이와 영재는 義兄弟를 맺었다.

| 의 | | 제 |

힌트
98쪽에서 공부한 '형제'에 쓰인 兄(형 형) 자에 대해 알아봐요.

② 언니의 남편을 兄夫라고 부른다.

| | 부 |

(2) 한자 성어의 뜻을 알아보고, 빈칸에 알맞은 한자를 쓰세요.

呼 兄 呼 弟
부를 호 형 형 부를 호 아우 제

썩 가까운 벗의 사이에 형이니 아우니 하고 서로 부름.

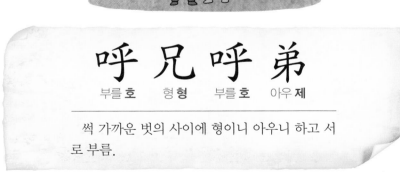

• 지아 아버지와 우리 아버지는 서로 呼 ☐ 呼 弟 (호형호제) 할 만큼 가까운 친구 사이이시다.

4주에는 무엇을 공부할까? ❷

1-1 다음 밑줄 그은 말과 뜻이 비슷한 말을 골라 ○표를 하세요.

그때부터 구두가 제멋대로 움직이기 시작했어. 카렌이 오른쪽으로 가려면 왼쪽으로 가고, 앞으로 가려면 뒤로 가는 거야. 멈추고 싶어도 멈춰지지 않았어.

시작하고   중지하고

1-2 다음 밑줄 그은 말과 뜻이 반대인 말을 보기 에서 찾아 쓰세요.

보기

계속하고   중지하고

나는 공부를 멈추고 빗소리에 귀를 기울였다.

(   )

힌트

'멈추고'는 '하던 일이나 동작을 그만하고.'라는 뜻의 낱말이에요.

▶ 정답 및 해설 26쪽

2-1 다음 ☐ 안에 들어갈 알맞은 말을 골라 ○표를 하세요.

아이들은 이 칠교판으로 여러 가지 사물 모양이나 또 ☐ 모양의 도형을 만들며 놀아.

틀린　　　　다른

2-2 다음 낱말을 넣어 짧은 글을 지은 것으로 알맞은 것을 골라 ○표를 하세요.

다른

(1) 받아쓰기가 <u>다른</u> 곳을 고쳐 주었다.

(　　)

(2) 동생과 나는 색깔이 <u>다른</u> 옷을 입었다.

(　　)

힌트
'다른'은 '비교가 되는 두 대상이 서로 같지 아니한.'이라는 뜻의 낱말이에요.

빨간 구두

공부한 날   월   일

이야기를 읽고 내용 확인을 위한 질문을 만들어라!

이야기에서 사건의 원인이나 결과를 찾아 질문을 만들어 볼 수 있어요.
「빨간 구두」를 읽고 카렌이 때와 장소를 가리지 않고 빨간 구두를 신고
다닌 일이 원인이 되어 어떤 결과가 일어났는지 생각해 보면
글의 내용을 확인할 수 있지요.

● 오늘 공부할 글의 그림을 미리 보고, 빈칸에 알맞은 낱말을 각각 찾아 쓰세요.

| 교회 | 구두 | 병 | 힘 |

카렌은 검은 ❶ [ ][ ] 를 사 오라는 할머니의 말을 듣지 않고 빨간 구두를
→ 주로 가죽을 재료로 하여 만든 서양식 신.

샀어요. ❷ [ ][ ] 에 갈 때도 빨간 구두를 신고, 할머니가 ❸ [ ] 이 났을 때
→ 예수 그리스도를 따르는 사람들이 모여
종교 활동을 하는 장소.
→ 몸에 이상이 생겨 정상적 활
동을 하지 못하고 괴로움을
느끼게 되는 현상.

도 빨간 구두를 신고 춤을 추러 다닌 카렌은 어떻게 되었을까요?

「빨간 구두」 전체 이야기 듣기

빨간 구두

안데르센

스스로 독해

카렌은 어떤 행동을 해서 멈추지 않고 춤을 추게 되었을까요? 점선 부분을 따라 선을 그으며 읽어 보고 답을 생각해 보세요.

어느 날, 할머니가 카렌에게 교회 갈 때 신을 검은 구두를 사 오라고 했어. 하지만 카렌은 자신이 ㉠좋아하는 색인 빨간색 구두를 사 왔지. 할머니는 눈이 어두워서 못 알아보셨어. 카렌은 빨간 구두를 신고 할머니와 함께 교회에 갔어. 그런 카렌을 보고 사람들이 수군거렸지만 카렌은 아랑곳하지 않았어. 그제야 할머니도 카렌의 구두가 빨간색이라는 것을 알았어. 화가 난 할머니는 빨간 구두를 빼앗아 숨겨 버렸단다.

봄이 되었어. 할머니가 병이 나셨지. 하지만 카렌은 할머니는 돌보지 않고, 빨간 구두를 신고 축제를 찾아다니며 춤만 추었어. 그런 카렌 앞에 천사가 나타나서 말했어.

"빨간 구두야, 좀 더 신나게 춤을 추어라."

그때부터 구두가 제멋대로 움직이기 시작했어. 카렌이 오른쪽으로 가려면 왼쪽으로 가고, 앞으로 가려면 뒤로 가는 거야. 멈추고 싶어도 멈춰지지 않았어.

어휘 풀이

▼ **교회** |가르칠 교 敎, 모일 회 會| 　예수 그리스도를 따르는 사람들의 모임. 또는 그런 사람들이 모여 종교 활동을 하는 장소. **예** 할머니께서는 일요일마다 교회에 가신다.

▼ **아랑곳하지** 　일에 나서서 참견하거나 관심을 두지. **예** 형은 내 기분은 아랑곳하지 않고 자기 자랑만 했다.

▼ **병** |병들 병 病| 　몸에 이상이 생겨 정상적 활동을 하지 못하고 괴로움을 느끼게 되는 현상.

▼ **제멋대로** 　아무렇게나 마구. 또는 제가 하고 싶은 대로. **예** 시온이는 제멋대로 언니 몫의 과자를 모두 먹었다.

1
문법

㉠'좋아하는'을 소리 나는 대로 바르게 쓴 것에 ○표를 하세요.

(1) [조하하는] (　　　　　) 　　(2) [조아하는] (　　　　　)

힌트
'좋아하는'에서 'ㅎ'은 소리 나지 않아요.

스스로 독해 해결!

2
이해

이 글을 읽고 내용 확인을 위해 만든 다음 질문에 알맞게 답하지 <u>못한</u> 친구에 ×표를 하세요.

> 카렌은 어떤 행동을 해서 멈추지 않고 춤을 추게 되었나요?

> 카렌은 빨간 구두를 신고 축제를 다니며 춤만 추었어.

서진

> 카렌은 빨간 구두를 유리 구두와 바꾸었어.

유미

> 카렌은 빨간 구두를 신고 교회에 갔어.

영석

4주
1일

서술형

3
이해

카렌 앞에 천사가 나타나서 한 말은 무엇인지 찾아 쓰세요.

카렌 앞에 천사가 나타나서 "＿＿＿＿＿＿＿＿＿＿＿＿＿＿＿＿＿＿＿

＿＿＿＿＿＿＿＿＿＿＿＿＿＿＿＿＿＿＿＿＿＿＿"(이)라고 말했다.

4
요약

이 글의 내용을 일이 일어난 차례에 맞게 정리하여 빈칸에 알맞은 말을 각각 쓰세요.

> 카렌은 할머니가 사라고 하신 검은 구두 대신 빨간 구두를 샀다.

→

> 카렌은 ❶ ☐ ☐ 구두를 신고 교회에 갔다.

> 카렌은 할머니가 병이 나셨을 때에도 빨간 구두를 신고 ❷ ☐ 만 추었다.

→

> 카렌 앞에 ❸ ☐ ☐ 가 나타나서 카렌에게 춤을 멈출 수 없는 벌을 주었다.

1 다음 문장에서 바르게 쓴 낱말을 골라 각각 ◯표를 하세요.

(1) 사람들은 카렌이 교회에 빨간 구두를 신고 왔다며
(수근거렸다 , 수군거렸다).

(2) 카렌은 (제멋대로 , 재멋대로) 움직이는 구두를 멈출 수
없었다.

2 다음 문장에서 밑줄 그은 낱말과 비슷한 뜻과 반대의 뜻을 가진 낱말을 보기 에서 각
각 찾아 쓰세요.

> 할머니는 눈이 <u>어두워서</u> 못 알아보셨어.
> └→ 잘 보이지 않아서.

보기

밝다   침침하다   심심하다   밟다

(1) 비슷한 뜻을 가진 낱말: (   )
(2) 반대의 뜻을 가진 낱말: (   )

힌트
국어사전에 비슷한 뜻을 가진 낱말은
ⓑ나 ⓨ, 반대의 뜻을 가진 낱말은
ⓟ으로 표시되어 있어요.

● 교회에 신고 가기에는 빨간 구두가 어울리지 않았던 것처럼, 각 상황에 어울리는 옷을 입어야 할 때가 있어요. 사다리 타기를 하여 각 상황에 어울리는 옷을 바르게 찾아보세요.

| 잠잘 때 | 결혼식 | 수영장 | 비 오는 날 |

| 비옷 | 수영복 | 웨딩드레스 | 잠옷 |

4주
1일

옛날에는 교회에 갈 때 반드시 단정한 차림을 하고 가야 했지만, 「빨간 구두」의 카렌은 빨간 구두를 신어서 사람들의 손가락질을 받았습니다. 우리의 **일상생활**에서 **때와 장소에 맞는 차림**을 알아봅니다.

우리 몸에 꼭 필요한 잠

공부한 날   월   일

글쓴이가 잠을 꼭 자야 한다고 말한 까닭을 찾아라!

「우리 몸에 꼭 필요한 잠」에서 글쓴이는 잠을 꼭 자야 한다고 말하고 있어요.

잠을 자지 않으면 더 좋은 것 아닐까요?

글쓴이는 왜 잠을 꼭 자야 한다고 했는지 그 까닭을 찾으며 글을 읽어 보아요.

● 오늘 공부할 글과 그림을 미리 보고, 알맞은 낱말을 각각 찾아 표시하세요.

　　잠을 자는 동안 우리 몸은 병균과 맞서 싸울 수 있을 만큼 튼튼해지고, 상처도 빨리 회복되지. 특히 성장 호르몬은 주로 깊이 잠들어 있을 때 나오기 때문에 잠을 충분히 자야 키도 크고 몸의 균형도 잡힌단다.

1 '원래의 상태로 돌이키거나 원래의 상태를 되찾음.'이라는 뜻의 낱말을 찾아 ○표를 하세요.

2 '어느 한쪽으로 기울거나 치우치지 않고 고른 상태.'라는 뜻의 낱말을 찾아 △표를 하세요.

우리 몸에 꼭 필요한 잠

스스로 독해

잠은 왜 꼭 자야 하는 걸까요? 점선 부분을 따라 선을 그으며 읽어 보고 그 까닭을 생각해 보세요.

잠을 자고 안 자고는 선택할 수 있는 일이 아니야. ㉠『밥을 먹고 숨을 쉬는 것과 마찬가지로 꼭 잠을 자야 해.』

잠을 자는 동안 우리 몸은 병균과 맞서 싸울 수 있을 만큼 튼튼해지고, 상처도 빨리 ▼회복되지. 특히 ▼성장 호르몬은 주로 깊이 잠들어 있을 때 나오기 때문에 잠을 충분히 자야 키도 크고 몸의 ▼균형도 잡힌단다.

자는 동안에는 우리 몸속에서 일어나는 여러 가지 활동이 느려지고 ▼체온도 떨어져. ㉡ 몸은 활발한 활동을 멈추고 쉬면서 힘을 보충할 수 있는 거야.

어휘 풀이

▼**회복**|돌아올 회 回, 돌아올 복 復| 원래의 상태로 돌이키거나 원래의 상태를 되찾음.

⑩ 진수는 이번 시험에서 100점을 맞아 명예를 회복했다.

▼**성장**|이룰 성 成, 길 장 長| **호르몬** 포유류의 성장을 빨리 진행하게 하는 단백질 호르몬.

⑩ 성장 호르몬은 키가 크는 것을 돕는다.

▼**균형**|고를 균 均, 저울대 형 衡| 어느 한쪽으로 기울거나 치우치지 않고 고른 상태. ⑩ 균형 잡힌 식사를 하자.

▼**체온**|몸 체 體, 따뜻할 온 溫| 몸의 온도. ⑩ 사람의 체온은 약 36~37도이다.

▲ 체온을 재는 체온계

1
표현

㉠『　　』이 의미하는 것으로 알맞은 것에 ○표를 하세요.

(1) 밥을 꼭 먹거나 숨을 꼭 쉬어야 되는 것처럼 잠도 꼭 자야 한다. (　　　　)

(2) 밥을 먹지 않거나 숨을 쉬지 않아도 되는 것처럼 잠은 자지 않아도 된다.

(　　　　)

2
이해

서술형

잠을 충분히 자야 키가 크고 몸의 균형도 잡히는 까닭을 쓰세요.

성장 호르몬은 주로 ＿＿＿＿＿＿＿＿＿＿＿＿＿＿＿＿＿

나오기 때문이다.

4주
2일

3
문법

ⓛ　　　안에 들어가기에 알맞은 말은 무엇인가요? (　　　　)

① 그래서

② 그리고

③ 그러나

④ 하지만

⑤ 왜냐하면

힌트

앞의 내용이 뒤의 내용의
원인이나 근거가 되는
이어 주는 말을 생각해 봐요.

4
요약

스스로 독해 해결!

이 글의 내용을 정리하여 빈칸에 알맞은 말을 각각 쓰세요.

잠을 자야하는 까닭	• 몸이 튼튼해지고, 상처도 빨리 ❶ ☐ ☐ 되기 때문이다.
	• 키가 크고 몸의 균 형 도 잡히기 때문이다.
	• 쉬면서 힘을 ❷ ☐ ☐ 할 수 있기 때문이다.

1 다음 보기 의 낱말이 어떻게 바뀌는지 살펴보고, 다음 낱말을 각각 바꾸어 쓰세요.

> 보기
>
> 자다 → 잠
>
> 슬프다 → 슬픔

(1) 기쁘다 → 　　　　　　　(2) 알리다 →

(3) 그리다 → 　　　　　　　(4) 만나다 →

힌트 보기 처럼 받침 'ㅁ'을 넣어 낱말의 형태를 바꾸어 보세요.

2 다음 낱말들의 뜻을 생각하며 문장에 알맞은 낱말을 골라 각각 ○표를 하세요.

> 느려지다　일이 진행되는 속도가 더디게 되다.
> 　　　예 집을 짓는 일이 많이 느려졌다.
>
> 늘어나다　부피나 수량이나 정도가 원래보다 점점 커지거나 길어지거나 많아지다.
> 　　　예 주차장에 주차된 자동차의 수가 점점 늘어났다.

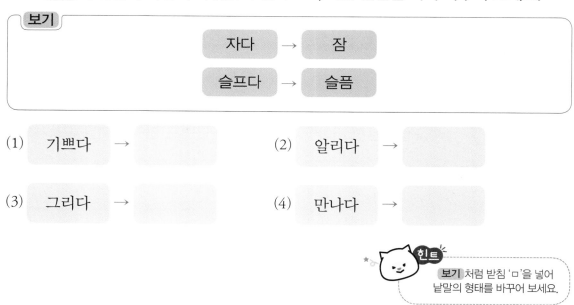

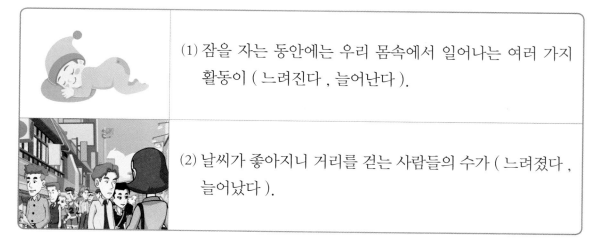

(1) 잠을 자는 동안에는 우리 몸속에서 일어나는 여러 가지 활동이 (느려진다 , 늘어난다).

(2) 날씨가 좋아지니 거리를 걷는 사람들의 수가 (느려졌다 , 늘어났다).

◉ 사람이 잠을 꼭 자야 하는 것처럼, 동물들도 꼭 잠을 자야 해요. 이러한 동물들 중에는 겨울 동안 움직이지 않고 겨울잠을 자는 동물들이 있어요. 아래 그림을 보고, 겨울잠을 자는 동물이 <u>아닌</u> 것을 골라 ×표를 해 보세요.

4주
2일

 (곰 , 뱀 , 사자 , 개구리 , 남생이 , 너구리 , 다람쥐 , 고슴도치)은/는 겨울잠을 잔다.

 「우리 몸에 꼭 필요한 잠」에서 알게 된 사람에게는 꼭 잠이 필요하다는 사실처럼, 사람뿐만 아니라 동물들에게도 잠이 꼭 필요합니다. **겨울잠을 자는 동물과 자지 않는 동물을 구별**해 봅니다.

3일

희곡 (문학)

파란 마음 하얀 마음

공부한 날   월   일

연극을 하기 위한 글에서 인물의 말을 살펴보자!

「파란 마음 하얀 마음」에는 선생님, 영우, 현철, 호빈, 중학이 등이 등장해요.

인물의 말을 살펴보면 연극을 하기 위한 글에서

무슨 일이 일어났는지 짐작할 수 있지요.

각 인물들이 한 말을 통해 일어난 사건을 떠올려 보아요.

◎ 오늘 공부할 글의 그림을 미리 보고, 빈칸에 알맞은 낱말을 각각 찾아 쓰세요.

불량　　　**양심**　　　**잘못**

영우와 현철이가 떨어진 돈을 주워 몰래 나눠 가지는 것을 보고 중학이와 호빈이

는 ❶ ☐☐　　　 학생처럼 영우와 현철이를 괴롭히며 돈을 빼앗았어요. 뺏긴 돈

　　　→행실이나 성품이 나쁨.

이 새암이의 돈이라는 것을 알게 된 영우와 현철이는 자신의 ❷ ☐☐ 을 뉘

　　　　잘하지 못하여 그릇되게 한 일. 또는 옳지 못하게 한 일.←

우치지요. 모든 사실을 알게 된 선생님은 문제를 해결하기 위해 어떻게 했을까요?

연극에 대해 알아보기

파란 마음 하얀 마음

이한영

스스로 독해

점선 부분을 따라 선을 그으며 읽어 보고, 호빈이, 중학이, 영우, 현철이에게 무슨 일이 있었는지 짐작해 보세요.

아이들: (손뼉을 친다.)

선생님: (준비했던 돈을 영우와 현철에게 주며) 영우와 현철이가 돈을 호주머니에 넣어 가지고 있는데, 불량 학생이 그 돈을 빼앗는 장면이에요. 자, 다 함께.

아이들: (큰 소리로) 레디 고!

　호빈과 중학이 쭈뼛거리며 영우와 현철에게 가까이 간다.

호빈: (기어들어 가는 목소리로) 야, 너 돈 가진 것 내놔.

영우: (호빈을 빤히 쳐다보며) 없어. 돈이 어디 있니?

중학: ……. (말없이 고개를 푹 숙이고 서 있다.)

선생님: 중학이는 뭐하니? 계속 윽박질러야지.

중학: (마지못해 기어들어 가는 목소리로) 정말 없어?

현철: 없어. 그리고 돈이 있어도 왜 우리가 너희들에게 돈을 주어야 하니?

선생님: 옳지, 그래. 잘하는구나. 영우와 현철이를 마구 때리면서 억지로 돈을 빼앗는 거야. 좀 더 실감 나게 해 봐.

호빈: ……. (고개를 푹 숙이고 말이 없다.)

선생님: 호빈이, 중학이, 뭐 하니? 이건 역할극이야. 왜 우물쭈물하는 거지?

　호빈과 중학이 고개를 푹 숙이고 말없이 서 있다. 잠시 침묵이 흐른다.

호빈: ㉠『(갑자기 엎어지며 울음을 터뜨린다.) 선생님, 잘못했습니다. 엉엉.』

어휘 풀이

▼**불량**|아닐 불 不, 어질 량 良| 행동이나 됨됨이가 나쁨. 예 불량 청소년들이 친구를 괴롭혔다.

▼**윽박질러야지** 심하게 짓눌러 기를 꺾어야지. 예 꼭 그렇게 윽박질러야지 속이 시원했니?

▼**역할극**|부릴 역 役, 나눌 할 割, 연극 극 劇| 참여자가 주어진 상황에서 특정 역할을 담당하여 연기하는 극.

▶ 정답 및 해설 28쪽

1
이해

이 글에 등장하는 인물이 <u>아닌</u> 사람은 누구인가요? (   )

① 영우   ② 철희   ③ 현철

④ 중학   ⑤ 선생님

2
이해

서술형

선생님께서는 역할극에서 아이들에게 어떤 장면을 연기하라고 말씀하셨는지 쓰세요.

> 영우와 현철이가 돈을 호주머니에 넣어 가지고 있는데, 불량 학생이 _____
> _____ 장면이다.

3
유추

스스로 독해 해결!

호빈이가 ㉠『   』처럼 말한 까닭을 알맞게 짐작한 친구에 ◯표를 하세요.

호빈이와 중학이가
아이들의 돈을 빼앗은 적이
있기 때문일 거야.

두나

수철

호빈이와 중학이가 어려운
아이들을 위해 자신의
용돈을 기부한 적이 있기
때문일 거야.

4
요약

이 글에서 일어난 일을 정리하여 빈칸에 알맞은 말을 각각 쓰세요.

> 친구를 괴롭히며 ❶[   ]을 뺏은 중학이와 호빈이에게 깨달음을 주기 위해
> 선생님은 영우, 현철이, 중학이, 호빈이에게 역할을 나누어 ❷[ ][ ][ ]
> 을 시킨다. 역할극을 통해 자신의 잘못을 깨달은 중학이와 호빈이는 반성의
> 눈물을 흘린다.

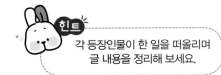
힌트
각 등장인물이 한 일을 떠올리며
글 내용을 정리해 보세요.

1 다음 만화를 보고, 낱말을 바르게 쓴 문장에 ◯표를 하시오.

(1) 손벽을 치며 노래를 불렀다. (   )

(2) 갑작스러운 손벽 소리에 화들짝 놀랐다. (   )

(3) 연극이 끝나고 관객들은 모두 손뼉을 쳤다. (   )

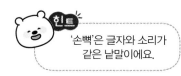

'손뼉'은 글자와 소리가
같은 낱말이에요.

2 보기 에서 다음 역할극을 하는 장면에 알맞은 낱말을 각각 찾아 쓰세요.

보기

관객 운동 경기, 공연, 영화 따위를 보거나 듣는 사람.

배우 영화나 연극, 드라마 등에 나오는 인물의 역할을 맡아서 연기하는 사람.

무대 노래, 춤, 연극 등을 하기 위하여 객석 앞에 좀 높게 만들어 놓은 넓은 자리.

(1)

(2)

(3)

◉ 다음 표정을 보고, 친구의 마음을 알맞게 짐작해 토끼가 집을 찾아갈 수 있도록 길을 찾아 선을 그어 보세요.

4주
3일

「파란 마음 하얀 마음」에서 중학이와 호빈이는 역할극을 통해 친구의 마음을 이해하게 되었습니다. 이번에는 **표정을 통해 마음을 짐작**해 보고, 친구의 표정을 보고 마음을 알 수 있다는 사실을 알아봅니다.

칠교놀이를 해요

공부한 날   월   일

무엇에 대해 설명하는 글인지 찾아라!

설명하는 글을 읽을 때에는 우선 무엇에 대한 글인지를 파악해야 해요.
「칠교놀이를 해요」를 읽으면 칠교판과 칠교놀이가 무엇인지 알 수 있지요.

● 오늘 공부할 글의 사진과 그림을 미리 보고, 빈칸에 들어갈 낱말을 보기 에서 각각 찾아 쓰세요.

보기

조각보   칠교판   칠교놀이   도형   딱지치기   지도

❶

　직각 삼각형 큰 것 둘, 중간 것 하나, 작은 것 둘과 정사각형과 평행 사변형 각 하나를 마음대로 맞추어 여러 가지 모양을 만들게 되어 있는 장난감.
　예 ○○○은 일곱 조각으로 나누어져 있는 장난감이다.

❷

　삼각형, 사각형, 원, 구 등과 같이 점, 선, 면, 체 등으로 이루어진 꼴.
　예 아이들은 칠교판으로 또 다른 모양의 ○○을 만들면서 논다.

❸

　칠교판을 가지고 노는 놀이.
　예 칠교판으로 여러 가지 사물 모양이나 또 다른 모양의 도형을 만들며 노는 것을 '○○○○'라고 한다.

칠교판으로 여러
가지 모양 만들기

칠교놀이를 해요

스스로 독해

이 글에서 설명하고 있는 대상은 무엇인가요? 동그라미 속 낱말을 색칠해 보아요.

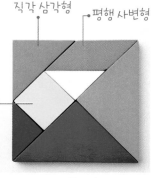

▲ 칠교판

아이들의 장난감 중에 '칠교판'이라는 게 있어. 큰 정사각형이 직각 삼각형 5개, 정사각형 1개, 평행 사변형 1개의 일곱 조각으로 나누어져 있는 장난감이야. 유럽에서는 '탱그램'이라는 이름으로 부르지.

아이들은 이 칠교판으로 여러 가지 사물 모양이나 또 다른 모양의 도형을 만들며 놀아. 이것을 '칠교놀이'라고 하지. 칠교놀이는 혼자서도 할 수 있지만 두 사람 이상이 모여 같은 모양을 더 빨리 만들어 보는 놀이를 할 수도 있어. 도형판의 7개 도형은 수많은 방법으로 서로 어울려서 갖가지 모양을 만들 수 있단다.

어휘 풀이

▼**칠교판** |일곱 칠 七, 교묘할 교 巧, 널판지 판 板| 직각 삼각형 큰 것 둘, 중간 것 하나, 작은 것 둘과 정사각형과 평행 사변형 각 하나를 마음대로 맞추어 여러 가지 모양을 만들게 되어 있는 장난감.

▼**사물** |일 사 事, 물건 물 物| 직접 보거나 만질 수 있게 일정한 모양과 성질을 갖추고 있는, 세상의 온갖 물건.
　예 친구들과 학교에 있는 <u>사물</u>들을 관찰해 보기로 했다.

▼**도형** |그림 도 圖, 형상 형 形| 삼각형, 사각형, 원, 구 등과 같이 점, 선, 면, 체 등으로 이루어진 꼴.
　예 수학 시간에 여러 가지 <u>도형</u>에 대해 공부했다.

▼**갖가지** '이런저런 여러 가지'를 뜻하는 '가지가지'의 준말. 예 <u>갖가지</u> 채소를 넣어 요리를 했다.

▶ 정답 및 해설 29쪽

1 칠교판으로 만들 수 있는 모양이 <u>아닌</u> 것에 ×표를 하세요.

유추

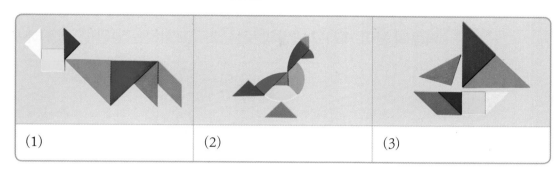

(1)　　　　　　　　　　(2)　　　　　　　　　　(3)

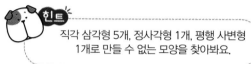

직각 삼각형 5개, 정사각형 1개, 평행 사변형
1개로 만들 수 없는 모양을 찾아봐요.

2 유럽에서는 '칠교판'을 무엇이라고 하나요? (　　　　　)

어휘

① 탱크　　　　　　② 탱그램　　　　　　③ 밀리그램

④ 탱고　　　　　　⑤ 킬로그램

4주
4일

서술형

3 칠교판으로 두 사람 이상이 모여 어떤 놀이를 할 수 있다고 하였는지 쓰세요.

이해

　같은 모양을 ＿＿＿＿＿＿＿＿＿＿＿＿＿＿＿＿＿＿＿＿＿＿＿＿
놀이를 할 수 있다.

스스로 독해 해결!

4 칠교판과 칠교놀이는 무엇인지 정리하여 빈칸에 알맞은 말을 쓰세요.

요약

　'칠교판'은 큰 정사각형이 ❶　　　　　　조각으로 나누어져 있는 장난감으로,

칠교판으로 여러 가지 사물 모양이나 또 다른 모양의 ❷　　　　　　을 만들면

서 노는 것을 '칠교놀이'라고 한다.

1 다음과 같이 제시된 낱말의 뜻을 모두 포함하는 낱말을 보기 에서 각각 찾아 쓰세요.

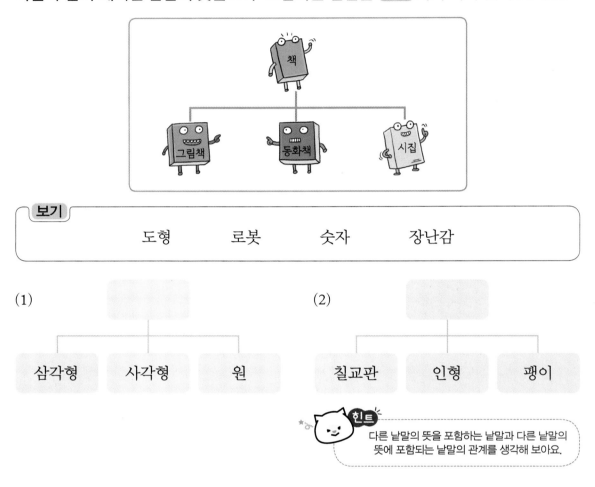

보기

도형   로봇   숫자   장난감

(1) □ — 삼각형, 사각형, 원

(2) □ — 칠교판, 인형, 팽이

힌트

다른 낱말의 뜻을 포함하는 낱말과 다른 낱말의 뜻에 포함되는 낱말의 관계를 생각해 보아요.

2 다음 도형의 이름을 보기 에서 각각 찾아 쓰세요.

보기

정사각형   직각 삼각형   평행 사변형

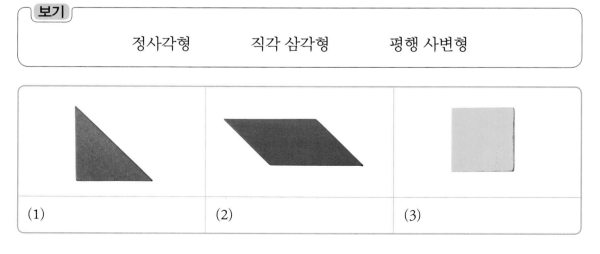

(1)   (2)   (3)

● 다음은 칠교판의 일곱 조각을 이용해 만든 여러 가지 모양이에요. 칠교판의 일곱 조각을 모두 사용하여 왼쪽 도형을 어떻게 만들 수 있을지 오른쪽에 그려 보세요.

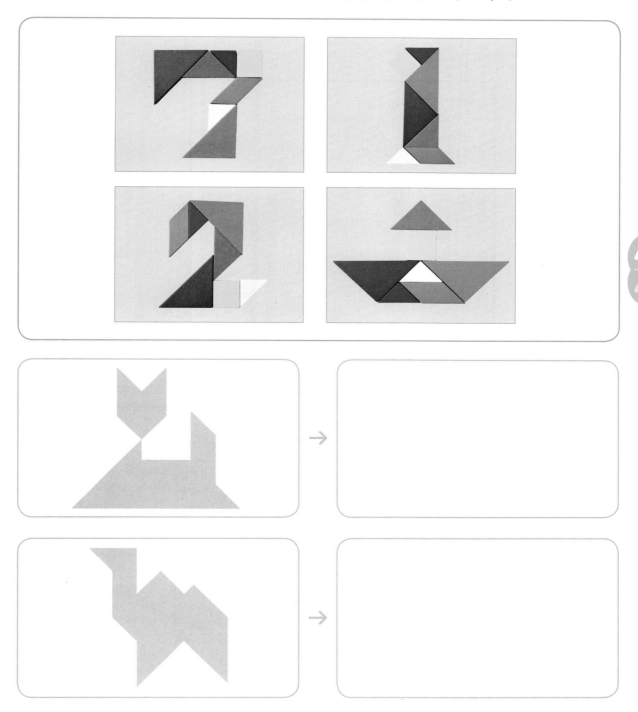

「칠교놀이를 해요」를 읽고 칠교판과 칠교놀이가 무엇인지 알았나요? **칠교판의 일곱 조각을 모두 이용**하여 **고양이와 낙타 모양**을 만들어 봅니다.

제4회 벚꽃 축제

공부한 날　　　　월　　　일

안내문을 읽으며 주의할 점을 점검하자!

「제4회 벚꽃 축제」를 읽으며 자신이 보고 싶은 행사는 무엇인지,

그 행사를 보기 위해 주의해야 할 점은 무엇인지 등을 살펴보아요.

안내문을 읽을 때에는, 자신에게 꼭 필요한 정보와

주의할 점 등을 찾아보아야 해요.

◉ 오늘 공부할 글과 그림을 미리 보고, 알맞은 낱말을 각각 찾아 표시하세요.

◆ 축제 기간 동안 주변 교통이 매우 혼잡하고, 주차 공간이 부족할 것으로 예상되니 대중교통을 이용해 주세요.

◆ 현장 상황 및 날씨에 따라 예정된 행사는 취소되거나 변경될 수 있습니다.

1 '여럿이 한데 뒤섞이어 어수선함.'이라는 뜻의 낱말을 찾아 ○표를 하세요.

2 '여러 사람이 이용하는 버스, 지하철 따위의 교통. 또는 그러한 교통수단.'이라는 뜻의 낱말을 찾아 △표를 하세요.

축제에 대해
알아보기

스스로 독해

제4회 벚꽃 축제에서 불꽃놀이 행사를 보기 위해서 주의할 점은 무엇인가요? 점선 부분에 선을 그으며 읽어 보세요.

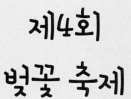

제4회
벚꽃 축제

20○○년 4월 5일(土)~13일(일)
천재 공원 일대

◆ 행사 안내

11:00~14:00	무료 즉석 사진 촬영
15:00~17:00	봄 풍경 그리기 대회
17:00~20:00	먹거리 장터
20:00~20:30	불꽃놀이(우천 시 취소)

◆ 축제 기간 동안 주변 교통이 매우 혼잡하고, 주차 공간이 부족할 것으로 예상되니 대중교통을 이용해 주세요.

◆ 현장 상황 및 날씨에 따라 예정된 행사는 취소되거나 변경될 수 있습니다.

어휘 풀이

▼ **일대**|하나 일 一, 띠 대 帶| 일정한 범위의 어느 지역 전부.

  예 마라톤 행사로 인해 체육관 일대의 교통이 통제되었다.

▼ **먹거리** 사람이 살아가기 위하여 먹는 온갖 것. 예 건강한 먹거리를 골라 먹어야 한다.

▼ **우천**|비 우 雨, 하늘 천 天| 비가 오는 날씨. 예 우천으로 야구 경기가 취소되었다.

▼ **혼잡**|섞을 혼 混, 섞일 잡 雜| 여럿이 한데 뒤섞이어 어수선함.

  예 지하철 환승역은 많은 사람들로 혼잡하다.

▼ **대중교통**|큰 대 大, 무리 중 衆, 사귈 교 交, 통할 통 通| 여러 사람이 이용하는 버스, 지하철 따위의 교통. 또는 그러한 교통수단.

▲ 대중교통의 하나인 버스

1
유추

다음은 4월 5일부터 4월 9일까지의 일기예보입니다. 제4회 벚꽃 축제에서 불꽃놀이를 볼 수 <u>없는</u> 날을 모두 고르세요. (   )

| ① 4월 5일(토) | ② 4월 6일(일) | ③ 4월 7일(월) | ④ 4월 8일(화) | ⑤ 4월 9일(수) |

힌트

불꽃놀이가 언제 취소된다고 하였는지 행사 안내를 살펴봐요.

2
이해

서술형

제4회 벚꽃 축제에 참여할 때 대중교통을 이용해야 하는 까닭을 쓰세요.

축제 기간 동안 _____

_____(으)로 예상되기 때문이다.

3
요약

다음은 제4회 벚꽃 축제에 가기 전 주요 내용을 요약해 둔 것입니다. 빈칸에 알맞은 말을 각각 쓰세요.

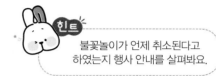

- 4월 5일~13일, ❶ [ ][ ] 공원 일대
- 행사
  • 즉석 ❷ [ ][ ] 촬영
  • 봄 ❸ [ ][ ] 그리기 대회
  • 먹거리 장터
  • 불꽃놀이(우천 시 취소)
- 대중교통 이용
- 현장 상황, 날씨에 따라 행사 취소, 변경 가능

1   보기 를 보고 그림에 어울리는 낱말에 ◯표를 하세요.

> 보기
>
> 우천 비가 오는 날씨.
>
> 강풍 세게 부는 바람.
>
> 폭염 매우 심한 더위.
>
> 폭설 갑자기 많이 내리는 눈.

	(1) (우천 , 강풍)에는 우산을 써야 한다.
	(2) 겨울에는 (폭염 , 폭설)에 대비한 준비가 필요하다.

2   사진 속 꽃의 이름으로 알맞은 낱말에 각각 ◯표를 하세요.

(1) (벗꽃 , 벚꽃)

(2) (달마지꽃 , 달맞이꽃)

 힌트
⑵의 꽃 이름은 밤에 달을 맞이하여
핀다고 하여 붙여졌어요.

◉ 우리나라의 곳곳에서는 계절이나 지역의 특산물 등에 관한 축제가 많이 열려요. 다음 지도와 그림을 보고, 각 지역의 축제로 알맞은 것을 보기 에서 각각 찾아 쓰세요.

보기

→대사 없이 표정과 몸짓만으로 내용을 전달하는 연극.

나비   마임   눈꽃   머드

→진흙.

대관령 ❷ ☐ ☐ 축제

보령 ❶ ☐ ☐ 축제

함평 ❸ ☐ ☐ 축제

춘천 ❹ ☐ ☐ 축제

서울의 여의도, 경남의 진해 등에서 벚꽃 축제가 열리는 것처럼 우리나라의 다른 지역에서도 다양한 축제가 열립니다. 지도와 사진을 보고 **각 지역의 축제**를 알맞게 찾아 써 봅니다.

[1~3] 다음 글을 읽고, 물음에 답하세요.

> ㉠봄이 되었어. ㉡할머니가 병이 나셨지. 하지만 카렌은 할머니는 돌보지 않고, 빨간 구두를 신고 ㉢축제를 찾아다니며 춤만 추었어. 그런 카렌 앞에 천사가 나타나서 말했어.
> "빨간 구두야, 좀 더 ㉣신나게 춤을 추어라."
>
> 그때부터 구두가 제멋대로 움직이기 시작했어. 카렌이 오른쪽으로 가려면 왼쪽으로 가고, 앞으로 가려면 뒤로 가는 거야. ㉤멈추고 싶어도 멈춰지지 않았어.

1 ㉠~㉣ 중 시간을 나타내는 말을 골라 기호를 쓰세요.

(   )

2 천사가 카렌에게 춤을 멈출 수 없는 벌을 내린 까닭으로 알맞은 것에 ○표를 하세요.

(1) 카렌이 빨간 구두를 버려서 (   )

(2) 카렌이 춤추는 것을 싫어해서

(   )

(3) 카렌이 축제를 찾아다니며 춤만 추어서

(   )

3 ㉤과 뜻이 반대인 말을 보기 에서 골라 쓰세요.

> **보기**
>
> 그만두고   계속하고

(   )

[4~5] 다음 글을 읽고, 물음에 답하세요.

> 잠을 자는 동안 우리 몸은 병균과 맞서 싸울 수 있을 만큼 튼튼해지고, 상처도 빨리 회복되지. 특히 성장 호르몬은 주로 깊이 잠들어 있을 때 나오기 때문에 잠을 충분히 자야 키도 크고 몸의 균형도 잡힌단다.
>
> 자는 동안에는 우리 몸속에서 일어나는 여러 가지 활동이 느려지고 체온도 떨어져. 그래서 몸은 활발한 활동을 멈추고 쉬면서 힘을 보충할 수 있는 거야.

4 잠을 잘 때 일어나는 일로 알맞지 않은 것은 무엇인가요? (   )

① 몸이 튼튼해진다.
② 몸의 균형이 잡힌다.
③ 힘을 보충할 수 있다.
④ 상처가 빨리 회복된다.
⑤ 몸이 활발하게 활동하게 된다.

5 잠을 충분히 자야 키가 크는 까닭은 무엇인지 빈칸에 알맞은 말을 쓰세요.

> (   )은(는) 주로 깊이 잠들어 있을 때 나오기 때문이다.

6 다음 밑줄 그은 말을 바르게 고쳐 쓰세요.

> 아이들: (손벽을 친다.)

(   )

▶ 정답 및 해설 30쪽

[7~8] 다음 글을 읽고, 물음에 답하세요.

아이들의 ㉠장난감 중에 '칠교판'이라는 게 있어. 큰 정사각형이 직각 삼각형 5개, 정사각형 1개, 평행 사변형 1개의 일곱 조각으로 나누어져 있는 장난감이야. 유럽에서는 '탱그램'이라는 이름으로 부르지.

▲ 칠교판

아이들은 이 칠교판으로 여러 가지 사물 모양이나 또 다른 모양의 ㉡도형을 만들며 놀아. 이것을 '칠교놀이'라고 하지. 칠교놀이는 혼자서도 할 수 있지만 두 사람 이상이 모여 같은 모양을 더 빨리 만들어 보는 ㉢놀이를 할 수도 있어.

7 ㉠~㉢ 중 다음 낱말의 뜻을 모두 포함하는 낱말을 골라 기호를 쓰세요.

정사각형 직각 삼각형 평행 사변형

(   )

8 이 글의 내용을 잘못 말한 친구의 이름을 쓰세요.

수아: 칠교놀이는 혼자서는 할 수 없어.
가희: 칠교판은 일곱 조각으로 나누어져 있어.
동건: 유럽에서는 '칠교판'을 '탱그램'이라고 불러.

(   )

[9~10] 다음 글을 읽고, 물음에 답하세요.

제4회
벚꽃 축제

20○○년 4월 5일(토)~13일(일)
천재 공원 일대

◆ 행사 안내

11:00~14:00	무료 즉석 사진 촬영
15:00~17:00	봄 풍경 그리기 대회
17:00~20:00	먹거리 장터
20:00~20:30	불꽃놀이(우천 시 취소)

◆ 축제 기간 동안 주변 교통이 매우 혼잡하고, 주차 공간이 부족할 것으로 예상되니 대중교통을 이용해 주세요.

◆ 현장 상황 및 날씨에 따라 예정된 행사는 취소되거나 변경될 수 있습니다.

9 벚꽃 축제가 열리는 장소는 어디인지 이 글에서 찾아 쓰세요.

(   )

10 다음 중 비가 오면 볼 수 없는 행사는 무엇인지 알맞은 것을 골라 ○표를 하세요.

(1) 불꽃놀이 (   )
(2) 먹거리 장터 (   )
(3) 봄 풍경 그리기 대회 (   )
(4) 무료 즉석 사진 촬영 (   )

점수

1 다음 만화를 읽고, 4주차에서 배운 낱말을 떠올려 어휘 퀴즈에 알맞은 낱말을 빈칸에 각각 쓰세요.

4주
특강

🐻 어휘 퀴즈

❶ '여럿이 한데 뒤섞이어 어수선함.'을 뜻하는 말은? →

❷ '원래의 상태로 돌이키거나 원래의 상태를 되찾음.'을 뜻하는 말은? →

❸ '명절에는 ○○○ 음식을 먹을 수 있다.'의 빈칸에 들어갈 알맞은 말은?

→

코딩

2 「우리 몸에 꼭 필요한 잠」을 읽고, 희수가 잠과 관련된 우리말을 모두 지날 수 있도록 빈칸에 알맞은 화살표를 그려 넣으세요.

> • 나비잠: 갓난아이가 두 팔을 머리 위로 벌리고 자는 잠.
> • 새우잠: 새우처럼 등을 구부리고 자는 잠.
> • 말뚝잠: 꼿꼿이 앉은 채로 자는 잠.

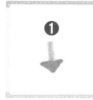 

융합

3 「제4회 벚꽃 축제」를 읽고, 각 계절에 피는 꽃을 알아보려고 해요. 사다리 타기를 하여 각 계절에 피는 꽃을 바르게 찾아보세요.

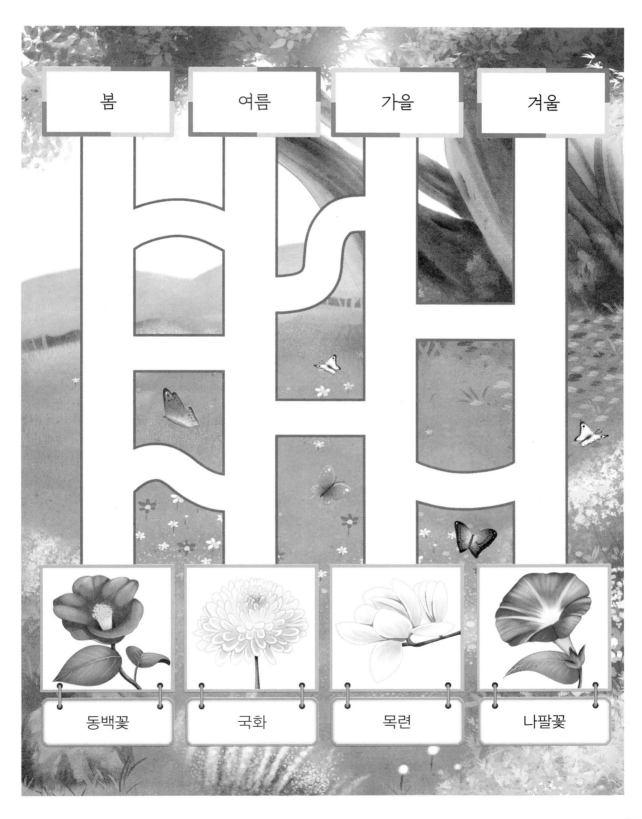

쓰레기 배출 안내문을 보고 알맞은 말에 ◯표를 하세요.

쓰레기 배출 안내

배출 요일

월, 수, 금	천재동, 해법동
화, 목, 토	우등생동

쓰레기를 어떻게 버려야 하는지 안내하고 있네.

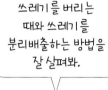

쓰레기를 버리는 때와 쓰레기를 분리배출하는 방법을 잘 살펴봐.

- 생활 쓰레기와 음식물 쓰레기는 ▼혼합 배출하면 안 됩니다.
- 재활용품은 투명한 봉투에 담아 ▼분리배출 합니다.
- 지정된 요일의 ▼일몰 후에 배출해야 합니다.

애들아! 쓰레기 배출 요일은 쓰레기를 (1)(내놓는 , 태우는) 요일을 정해 놓은 거야. 그리고 생활 쓰레기와 음식물 쓰레기는 (2)(같이 , 따로) 내놓 아야 해. 재활용품은 종류별로 나누어 버려야 하지. 해가 (3)(지기 전 , 진 후)에 쓰레기를 내놓아야 한다는 점도 꼭 기억해.

어휘 풀이

▼ **배출**|물리칠 배 排, 날 출 出| 안에서 밖으로 밀어 보냄. 예 공장에서 오염 물질을 배출했다.

▼ **혼합**|섞을 혼 混, 합할 합 合| 뒤섞어서 한데 합함. 예 조미료는 여러 가지 맛이 나는 재료가 혼합되어 있다.

▼ **분리배출**|나눌 분 分, 떠날 리 離, 물리칠 배 排, 날 출 出| 쓰레기 따위를 종류별로 나누어서 버림.

▼ **일몰**|날 일 日, 잠길 몰 沒| 해가 짐. 예 바다에서 일몰을 바라보고 싶다.

창의
5 七(일곱 칠) 자에 대해 알아보고, 다음 물음에 답하세요.
생활 한자

七 자는 칼로 무언가 내리치는 모습으로 '자르다'는 뜻이었다 '일곱'을 나타내게 된 글자예요.

(1) 七 자가 들어간 낱말을 알아보고, 한자의 음을 쓰세요.

힌트
158쪽에서 공부한 '칠교판'에 쓰인 七(일곱 칠) 자에 대해 알아요.

① 北斗七星은 일곱 개의 별로 이루어진 별자리이다.

| 북 | 두 | | 성 |

② 음력 7월 7일은 七夕으로, 견우와 직녀가 만난다는 전설이 있는 날이다.

| | 석 |

(2) 한자 성어의 뜻을 알아보고, 빈칸에 알맞은 한자를 쓰세요.

七 顚 八 起
일곱 **칠** 엎드러질 **전** 여덟 **팔** 일어날 **기**

'일곱 번 넘어져도 여덟 번 일어난다.'는 뜻으로,
실패를 거듭해도 포기하지 않고 꾸준히 노력함.

• 줄넘기를 할 줄 몰랐지만 | | 顚 | 八 | 起 | (칠전팔기)의 자세로 연습하여

잘할 수 있게 되었다.

똑똑한 하루 독해 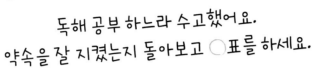 끝!

독해 공부 하느라 수고했어요.
약속을 잘 지켰는지 돌아보고 ◯표를 하세요.

약속한 사람 _____

첫째, 하루하루 빠짐없이 꾸준히 공부했나요?　　　　　　　예　　아니요

둘째, 하루 독해 문제를 끝까지 다 풀었나요?　　　　　　　예　　아니요

셋째, 틀린 문제는 왜 틀렸는지 다시 한번 확인했나요?　　예　　아니요

약속을 잘 지키지 못한 부분은 스스로 돌아보고,
다음 단계를 공부할 때에는 더 열심히 해 봐요!

그럼, 다음 책으로 고고!

앞선 생각으로
더 큰 미래를 제시하는 기업

서책형 교과서에서 디지털 교과서,
참고서를 넘어 빅데이터와 AI학습에 이르기까지
끝없는 변화와 혁신으로
대한민국 교육을 선도해 나갑니다.

천재교육

빠른 정답이 들어 있어요!

똑똑한
하루
독해

정답 및 해설

2단계 B

1~2학년

천재교육

정답과 해설
포인트 3가지

▶ 혼자서도 이해할 수 있는 친절한 문제 풀이

▶ 문제 해결에 도움을 주는 '더 알아보기'와
   틀린 부분을 짚어 주는 '왜 틀렸을까?'

▶ 예시 답안과 채점 기준 제시로 서술형 문항 완벽 대비

똑 똑 한
하루
독해

정답 및 해설

1주

010쪽~011쪽 — 1주에는 무엇을 공부할까? ②

1-1 작게 **1-2** 작게
2-1 깨끗이 **2-2** 깨끗이

012쪽~017쪽 — 1주 1일

독해 미리 보기

1 벼슬아치 2 사또

독해

1 며칠 2 돌로 만든 갓 등 3 ①
4 ❶ 돌 ❷ 꼬마 사또

독해 어휘

1 (2) ○ 2 (1) 착용하자 (2) 벗자 3 (2) ○

독해 게임

1	2	3		4	5		6	7	
겉	모	습	만 보고	사	람	을	판	단	하지 마세요.

018쪽~023쪽 — 1주 2일

독해 미리 보기

1 강도 2 주목

독해

1 ㉠ 2 ③ 3 우산살이 없어 등
4 ❶ 고어텍스 ❷ 보관

독해 어휘

1 (1) 불가능 (2) 불만족 (3) 불완전 (4) 불합격
2 (1) 걱정 (2) 강점 (3) 재료

독해 게임

빨리 달리는

024쪽~029쪽 — 1주 3일

독해 미리 보기

❶ 가랑비 ❷ 나란히

독해

1 ③, ⑤ 2 붙어서 가자. 3 ①
4 ❶ 짝 ❷ 우산

독해 어휘

1 (1) 나란히 (2) 멎자 (3) 가랑비 2 (2) ○

독해 게임

실험 1 철 실험 2 양쪽 끝

030쪽~035쪽 — 1주 4일

독해 미리 보기

❶ 신용 카드 ❷ 소비

독해

1 만약 2 ④ 3 올바른 소비 습관 등
4 ❶ 약속 ❷ 불량자

독해 어휘

1 (1) 꾸기 (2) 직장
2 (1) 소비자 (2) 소비량 (3) 소비 생활

독해 게임

다솔

036쪽~041쪽 — 1주 5일

독해 미리 보기

❶ 피클 ❷ 소독 ❸ 숙성

독해

1 ① 2 오이를 씻으려고 등
3 ❶ 오이 ❷ 숙성

독해 어휘

1 (1) 찌기 (2) 데치기 (3) 부치기
2 (1) 사흘 (2) 엿새 (3) 아흐레

독해 게임

전통 식품 제조원

누구나 100점 테스트

1 돌 **2** ②
3 (2) ○ **4** 투명 우산
5 다솔 **6** 작게
7 ②, ⑤ **8** ⑤
9 (1) ○ (3) ○ **10** ④

1주 특강

1 ❶ 주목 ❷ 소독 ❸ 비난
2 실험 1 컵에 구슬을 넣었을 때 안에 들어 있는 구슬이 보이는 것은 (투명한, 불투명한) 컵이에요.
실험 2 투명한 물체는 불투명한 물체보다 (진한 , 연한) 그림자가 생겨요.

3

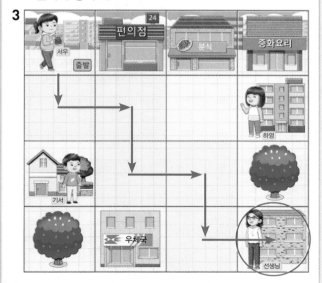

4 (1) 현금 (2) 넣어
5 (1) ① 비 상 ② 비 정 상
(2) 非 一 非 再

2주에는 무엇을 공부할까? ❷

1-1 닿는 **1-2** 닿는
2-1 맞춰 **2-2** 맞춰

2주 1일

독해 미리 보기

❶ 밤참 ❷ 거의 ❸ 베란다

독해

1 (1) ○ **2** (2) ○ **3** 돌아올 시간이 거의 다 되었기 때문이다. 등 **4** ❶ 밤참 ❷ 아침

독해 어휘

1 (1) 활짝 (2) 둥근 (3) 넓은 (4) 높이
2 아침, 오늘, 열 시, 오후

독해 게임

(1) ㅍ , ㅜ , ㄹ (2) 풀

2주 2일

독해 미리 보기

❶ 용서 ❷ 미각

독해

1 ② **2** 발끝 **3** 그 맛을 느낄 수 없게 된다. 등 **4** ❶ 미각 ❷ 맛

독해 어휘

1 (1) ○ **2** (1) ② (2) ①

독해 게임

(1) 더듬이 (2) 발끝

066쪽~071쪽 · 2주 3일

독해 미리 보기

1 정원　　2 황금

독해

1 ③　　2 ③　　3 정원에 있는 나뭇가지 하나를 손으로 잡고 등　　4 ❶ 황금　❷ 소원

독해 어휘

1 종수　　2 기뻐요

독해 게임

072쪽~077쪽 · 2주 4일

독해 미리 보기

1 시설　　2 야생

독해

1 (2) ×　　2 ⑤　　3 스트레스를 받는다. 등
4 ❶ 동물원　❷ 야생

독해 어휘

1 과일 등
2 (1) 예 족제비, 비누통　(2) 예 경찰관, 관심

독해 게임

10

078쪽~083쪽 · 2주 5일

독해 미리 보기

❶ 실내　　❷ 음악　　❸ 청소

독해

1 ⑤　　2 천둥소리　　3 청소기에서 나는 시끄러운 소리 때문에 등　　4 ❶ 소리　❷ 청소

독해 어휘

1 (1) 반드시　(2) 반듯이
2 (1) 폴짝폴짝　(2) 살랑살랑

독해 게임

084쪽~085쪽 · 누구나 100점 테스트

1 (3) ○　　2 베란다　　3 ④　　4 (3) ○
5 ②　　6 야생　　7 ①　　8 층간 소음
9 반드시　　10 ①, ③

086쪽~091쪽 · 2주 특강

1 ❶ 미각　❷ 시설　❸ 소원
2 사각형 1개　삼각형 5개　원 5개
3 ❷ 3
4 (1) 높으니　(2) 밖
5 (1) ① 음 식　② 식 량
　(2) 弱 肉 強 食

094쪽~095쪽

3주에는 무엇을 공부할까? ②

1–1 뻘뻘   1–2 (1) ○
2–1 이르는   2–2 이르는

096쪽~101쪽   3주 **1**일

독해 미리 보기

❶ 형제   ❷ 곰곰이

독해

1 (1) ○   2 아기가 태어날 것이니까 등
3 (1) ○   4 ❶ 똑같이 ❷ 볏단

독해 어휘

1 (1) 부지런히 (2) 곰곰이   2 (1) ① (2) ③ (3) ②

독해 게임

102쪽~107쪽   3주 **2**일

독해 미리 보기

1 대개   2 몸통   3 마디

독해

1 ①   2 (2) ○   3 등이 볼록하여 마치 작은
공처럼 보인다. 등   4 ❶ 다리 ❷ 마디 ❸ 앞뒤

독해 어휘

1 (1) 게 (2) 배   2 (1) ① (2) ②

독해 게임

(1) 불가사리 (2) 갯지렁이 (3) 조개

108쪽~113쪽   3주 **3**일

독해 미리 보기

1 대문   2 동동

독해

1 ①   2 ②   3 팽이를 돌리며 놀고 싶어서
이다. 등   4 ❶ 강아지 ❷ 팽이

독해 어휘

1 (1) 팽팽 (2) 컹컹 (3) 동동
2 (1) ② (2) ③ (3) ①

독해 게임

❹ ×

114쪽~119쪽   3주 **4**일

독해 미리 보기

❶ 계절   ❷ 샘내어

독해

1 ②   2 식량 사정이 가장 어려운 때 등
3 (3) ×   4 ❶ 꽃샘 ❷ 보릿고개

독해 어휘

1 (1) 햇 (2) 햇 (3) 햇   2 (1) 더위 (2) 적다

독해 게임

봄 – 화전, 여름 – 삼계탕, 가을 – 송편, 겨울 – 팥죽

120쪽~125쪽   3주 **5**일

독해 미리 보기

❶ 지진   ❷ 대피   ❸ 탑승

독해

1 머리를 보호하기 등   2 (2) ○   3 ④

독해 어휘

1 (1) 대비 (2) 대피
2 (1) 작은 (2) 많이

독해 게임

(1) 지진파를 기록하는 (2) 어렵다

빠른 정답

126쪽~127쪽

누구나 100점 테스트

1 곰곰이　　　　　　**2** (2) ○

3 ④　　　　　　　　**4** 옆으로

5 (1) ○　　　　　　**6** ⑤

7 친구　　　　　　　**8** 준수

9 꽃샘추위, 잎샘추위　**10** (4) ×

128쪽~133쪽

3주 특강

1 ❶ 곰곰이　**❷** 몸통　**❸** 대피

2

3

코딩 명령

4 (1) 월요일　(2) 겨울　(3) 여름　(4) 싸게

5 (1) ① 의 형 제　② 형 부

　　(2) 呼 兄 呼 弟

4주

136쪽~137쪽

4주에는 무엇을 공부할까? ❷

1-1 중지하고　　　**1-2** 계속하고

2-1 다른　　　　　**2-2** (2) ○

138쪽~143쪽 **4주 1일**

독해 미리 보기

❶ 구두　　❷ 교회　　❸ 병

독해

1 (2) ○　　**2** 유미　　**3** 빨간 구두야, 좀 더 신나게 춤을 추어라.　**4 ❶** 빨간　**❷** 춤　**❸** 천사

독해 어휘

1 (1) 수군거렸다　(2) 제멋대로

2 (1) 침침하다　(2) 밝다

독해 게임

잠잘 때 – 잠옷, 결혼식 – 웨딩드레스, 수영장 – 수영복, 비 오는 날 – 비옷

144쪽~149쪽 **4주 2일**

독해 미리 보기

1 회복　　**2** 균형

독해

1 (1) ○　　**2** 깊이 잠들어 있을 때 등　**3** ①

4 ❶ 회복　**❷** 보충

독해 어휘

1 (1) 기쁨　(2) 알림　(3) 그림　(4) 만남

2 (1) 느려진다　(2) 늘어났다

독해 게임

사자에 ×표

독해 미리 보기

❶ 불량   ❷ 잘못

독해

1 ②   **2** 그 돈을 빼앗는 등   **3** 두나

4 ❶ 돈 ❷ 역할극

독해 어휘

1 (3) ○   **2** (1) 배우 (2) 무대 (3) 관객

독해 게임

독해 미리 보기

❶ 칠교판   ❷ 도형   ❸ 칠교놀이

독해

1 (2) ×   **2** ②   **3** 더 빨리 만들어 보는 등

4 ❶ 일곱 ❷ 도형

독해 어휘

1 (1) 도형 (2) 장난감

2 (1) 직각 삼각형 (2) 평행 사변형 (3) 정사각형

독해 게임

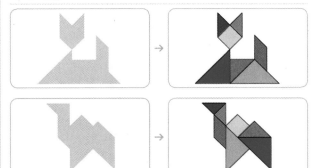

독해 미리 보기

1 혼잡   **2** 대중교통

독해

1 ②, ④   **2** 주변 교통이 매우 혼잡하고, 주차 공간이 부족할 것 등

3 ❶ 천재 ❷ 사진 ❸ 풍경

독해 어휘

1 (1) 우천 (2) 폭설   **2** (1) 벚꽃 (2) 달맞이꽃

독해 게임

❶ 머드   ❷ 눈꽃   ❸ 나비   ❹ 마임

누구나 100점 테스트

1 ㉠   **2** (3) ○

3 계속하고   **4** ⑤

5 성장 호르몬   **6** 손뼉

7 ㉡   **8** 수아

9 천재 공원 일대(천재 공원)   **10** (1) ○

4주 특강

1 ❶ 혼잡 ❷ 회복 ❸ 갖가지

2

3 봄 – 목련, 여름 – 나팔꽃, 가을 – 국화, 겨울 – 동백꽃

4 (1) 내놓는 (2) 따로 (3) 진후

5 (1) ① 북 두 칠 성   ② 칠 석

   (2) 七 顚 八 起

010쪽~011쪽 ▸ 1주에는 무엇을 공부할까? ②

1-1 작게   1-2 작게
2-1 깨끗이   2-2 깨끗이

1-1~1-2 '작게'는 '크기가 보통보다 덜하게.'라는 뜻이고, '적게'는 '수나 양, 정도가 일정한 기준에 미치지 못하게.'라는 뜻입니다.

2-1~2-2 '깨끗하다'처럼 '-하다' 앞에 'ㅅ' 받침이 있으면 '-히'가 아니라 '-이'를 붙입니다.

013쪽 ▸ 똑똑한 하루 독해 미리 보기

1 벼슬아치   2 사또

014쪽~015쪽 ▸ 똑똑한 하루 독해

1 며칠   2 돌로 만든 갓 등   3 ①
4 ❶ 돌   ❷ 꼬마 사또

1 '며칠'이 맞춤법에 맞는 말입니다.

> **(왜 틀렸을까?)**
> '몇일'이라고 쓰는 경우는 없습니다.

2 꼬마 사또는 자신에게 인사를 하지 않는 벼슬아치들을 혼내 주기 위해 돌로 만든 갓을 쓰고 다니라고 하였습니다.

> **채점 기준**
> 돌로 만든 갓이라는 내용이 들어가게 답을 썼으면 정답으로 합니다.

3 자신에게 인사를 하지 않는 벼슬아치들에게 돌로 만든 갓을 쓰게 하여 스스로 잘못을 깨닫게 하는 것으로 보아 똑똑한 성격임을 짐작할 수 있습니다.

4 꼬마 사또가 인사를 하지 않는 벼슬아치들을 혼내 주려고 벼슬아치들에게 돌로 만든 갓을 쓰게 했지만, 용서를 빌자 바로 용서해 주었습니다.

016쪽 ▸ 똑똑한 하루 독해 어휘

1 (2) ○   2 (1) 착용하자 (2) 벗자   3 (2) ○

1 (1)에서는 상투를 틀고 있는 사람이 나오고, (2)에서는 갓을 쓰고 있는 사람이 나옵니다.

> **(더 알아보기)**
> **상투**
> 　옛날에 우리나라에서 장가를 든 남자가 머리털을 끌어 올려 정수리 위에 틀어 감아 맨 것을 말합니다. 결혼하지 않은 여자와 남자의 전통적 머리 모양은 모두 땋은 머리였습니다. 상투를 틀고 갓을 쓰게 하던 예절은 어른이 되었다는 의미를 담은 관례라고 합니다.

2 (1) '쓰다'와 뜻이 비슷한 말은 '옷, 모자, 신발, 액세서리 따위를 입거나, 쓰거나, 신거나 차거나 하다.'라는 뜻의 '착용하다'입니다.
　(2) '쓰다'와 뜻이 반대인 말은 '사람이 자기 몸 또는 몸의 일부에 착용한 물건을 몸에서 떼어 내다.'라는 뜻의 '벗다'입니다.

3 손이 발이 되도록 빌었다는 것은 잘못을 용서하여 달라고 간절히 빌었다는 뜻입니다.

> **(더 알아보기)**
> '손이 발이 되도록(되게) 빌다'라는 말은 옛날부터 사람들 사이에 전하여 오는 교훈이 담긴 짧은 말인 속담으로, '발이 손이 되도록(되게) 빌다'라고도 쓸 수 있습니다.

017쪽 ▸ 똑똑한 하루 독해 게임

| 1 겉 | 2 모 | 3 습 | 만 보고 | 4 사 | 5 람 | 을 | 6 판 | 7 단 | 하지 마세요. |

◉ 글자 카드를 번호 순서대로 정리하면 '겉모습만 보고 사람을 판단하지 마세요.'라는 문장이 됩니다. 이것은 이 이야기의 교훈에 해당합니다. 이 이야기를 통해 나이는 어리지만 현명한 꼬마 사또처럼 나이가 어리다고 겉모습만 보고 사람을 판단하여 무시하면 안 된다는 것을 깨달을 수 있습니다.

2일

019쪽 똑똑한 하루 독해 미리 보기

1 강도 **2** 주목

020쪽~**021**쪽 똑똑한 하루 독해

1 ㉠ **2** ③ **3** 우산살이 없어 등
4 ❶ 고어텍스 ❷ 보관

1 ㉠은 우산살, ㉡은 우산대에 해당합니다.

(왜 틀렸을까?)
㉡ 부분은 우산을 버티는 중간의 굵은 대로 우산대에 해당하므로 답이 될 수 없습니다.

2 투명 우산은 여름철 수영장에서 사용하는 튜브의 원리를 이용한 우산이라고 하였지, 투명 우산을 여름철에만 사용할 수 있다고는 하지 않았습니다.

(더 알아보기)
투명 우산 외에도 비대칭 모양으로 강한 바람에도 뒤집히지 않는 우산, 우산살과 천이 없이 짧은 막대기 하나로 공기 막을 만들어 비를 쳐 내는 우산, 우산 손잡이에 있는 센서가 날씨를 예측해 알려 주는 우산 등도 개발되었다고 합니다.

3 투명 우산은 우산살이 없어 바람에 부서질 염려도 없고, 평소에는 작게 접어 놓을 수 있어 보관하기 편하다는 것이 장점이라고 하였습니다.

채점 기준
우산살이 없다는 내용이 들어가게 답을 썼으면 정답으로 합니다.

4 투명 우산의 소재는 고어텍스이고, 장점은 보관하기 편하다는 것입니다.

(더 알아보기)
고어텍스
· 방수가 잘되는 동시에 땀을 빠르게 옷 밖으로 빼낼 수 있는 기능성 소재입니다.
· 옷, 등산화, 가방, 휴대 전화 등 여러 부분에서 사용되고 있습니다.

정답 및 해설

022쪽 똑똑한 하루 독해 어휘

1 (1) 불가능 (2) 불만족 (3) 불완전 (4) 불합격
2 (1) 걱정 (2) 강점 (3) 재료

1 (1) 불가능: 가능하지 않음.
(2) 불만족: 마음에 흡족하지 않음.
(3) 불완전: 완전하지 않거나 완전하지 못함.
(4) 불합격: 시험 따위에 떨어짐.

(더 알아보기)
'불(不)' 자가 들어가는 낱말 예
· **불공정**: 공평하고 올바르지 않음.
· **불규칙**: 규칙에서 벗어나 있음. 또는 규칙이 없음.
· **불균형**: 어느 편으로 치우쳐 고르지 않음.
· **불명예**: 명예스럽지 못함.
· **불안정**: 안정성이 없거나 안정되지 못한 상태임.
· **불이익**: 이익이 되지 않고 손해가 되는 데가 있음.
· **불특정**: 특별히 정하지 않음.
· **불효자**: 어버이를 효성스럽게 잘 섬기지 않는 자식.

2 (1) '염려'와 뜻이 비슷한 말은 '안심이 되지 않아 속을 태움.'이라는 뜻의 낱말인 '걱정'입니다.
(2) '장점'과 뜻이 비슷한 말은 '남보다 더 우세하거나 뛰어난 점.'이라는 뜻의 낱말인 '강점'입니다.

(왜 틀렸을까?)
'약점'은 '모자라서 남에게 뒤떨어지거나 떳떳하지 못한 점.'이라는 뜻의 낱말로 '장점'과 뜻이 반대인 말이므로 답이 될 수 없습니다.

(3) '소재'와 뜻이 비슷한 말은 '물건을 만드는 데 들어가는 감.'이라는 뜻의 낱말인 '재료'입니다.

023쪽 똑똑한 하루 독해 게임

우산 없이 갈 때 비를 덜 맞는 방법은 (지그재그로 가는 , 빨리 달리는) 것이다.

◉ 만화에서 빨리 달리면 비를 맞는 시간이 짧아서 걸어갈 때보다 40퍼센트 정도나 비를 덜 맞게 된다고 하였습니다.

3일

❶ 가랑비   ❷ 나란히

1 ③, ⑤   2 붙어서 가자.   3 ①
4 ❶ 짝   ❷ 우산

1 비가 멎었지만 우산을 접지 않고 '붙어서 가자.'라고 말한 것은 좋아하는 친구와 붙어서 가며 더 사이좋게 지내고 싶었기 때문입니다.

{ 왜 틀렸을까? }
①: '비는 멎었지만'이라는 부분으로 보아 답이 될 수 없습니다.
②, ④: 시에 나오지 않은 내용입니다.

2 이 시에서 반복되는 말은 '붙어서 가자.'와 '나란히'입니다. 그중에 친구를 좋아하는 마음이 나타난 부분은 '붙어서 가자.'입니다.

채점 기준
'붙어서 가자.'라고 썼을 때에만 정답으로 합니다.

3 이 시에서는 좋아하는 친구와 더 사이좋게 지내고 싶어 하는 마음을 노래하고 있으므로 정다운 느낌을 준다고 할 수 있습니다.

{ 더 알아보기 }
이 시에 나오는 '나'와 '내' 짝의 모습 역시 우산 하나를 함께 쓰고 붙어서 갈 정도로 정답습니다.

4 시의 내용으로 보아 '나'와 '내' 짝이 우산 하나를 함께 쓰고 나란히 걸어서 가는 장면이 떠오릅니다.

{ 더 알아보기 }
시의 장면을 떠올려 생각이나 느낌 말하기
• 시의 내용, 시에 나오는 인물의 마음, 시의 내용과 비슷한 경험을 생각해 봅니다.
• 시의 장면을 떠올려 봅니다.
• 시에 대한 생각이나 느낌을 말해 봅니다.

1 (1) 나란히   (2) 멎자   (3) 가랑비   2 (2) ○

1 (1) 자동차 두 대가 도로 위를 달리는 모습에 알맞은 낱말은 '여럿이 줄지어 늘어선 모양이 가지런한 상태로.'라는 뜻의 '나란히'입니다.
(2) '비나 눈 따위가 그치자.'라는 뜻의 '멎자'가 들어가야 합니다.
(3) '가늘게 내리는 비.'라는 뜻의 '가랑비'가 들어가야 합니다.

2 속담 '가랑비에 옷 젖는 줄 모른다'의 뜻으로 알맞은 것은 (2)입니다.

{ 왜 틀렸을까? }
(1)은 속담 '비 온 뒤에 땅이 굳어진다'의 뜻입니다.

실험 1   자석에 붙는 물질은 ((철), 플라스틱)이에요.

실험 2   자석의 (가운데 , (양쪽 끝))에 클립이 많이 붙어요.

○ 실험 1
자석에는 가위의 날 부분과 같이 철로 만든 물체가 붙습니다.

실험 2
자석의 양쪽 끝에서 철로 된 물체를 더 세게 끌어당기는 힘이 있기 때문에 자석의 양쪽 끝에 클립이 많이 붙습니다.

{ 더 알아보기 }
자석의 극
• 자석에서 클립이 많이 붙는 부분입니다.
• 자석에서 다른 부분보다 철로 된 물체를 더 세게 끌어당깁니다.
• 자석에는 두 개의 극이 있는데 실험에 쓰인 막대자석의 극은 양쪽 끝에 있습니다.

4일

031쪽   똑똑한 하루 독해 **미리 보기**

❶ 신용 카드   ❷ 소비

032쪽~**033**쪽   똑똑한 하루 독해

1 만약   **2** ④   **3** 올바른 소비 습관 등
4 ❶ 약속   ❷ 불량자

1 '이러한 약속을 지킬 수 없다면'에 나오는 '없다면'과 어울리는 말은 '만약'입니다.

【 더 알아보기 】

서로 어울리는 말

서로 어울리는 말	예
만약, ~이면 [~라면, ~다면]	**만약** 내가 새**라면** 하루 종일 노래할 것이다.
마치, ~같다	눈이 너무 많이 내려 **마치** 세상이 사라진 것 **같다.**
왜냐하면, ~때문이다	마음이 무척 설렌다. **왜냐하면** 내일은 내 생일이기 **때문이다.**

2 신용 카드를 쓰는 것은 쓴 돈을 언제까지 갚겠다고 약속하는 것이라고 하였으므로 신용 카드만 있으면 공짜로 물건을 살 수 있다고 하는 것은 이 글의 내용으로 알맞지 않습니다.

3 이 글에서는 신용 불량자가 되면 은행에서 돈을 빌리기 어렵고 일자리도 구하기 어려우며 사람들에게 비난을 받을 수도 있다고 말하며 어려서부터 올바른 소비 습관을 들이는 게 중요하다고 말하였습니다.

채점 기준
올바른 소비 습관이라는 내용이 들어가게 답을 썼으면 정답으로 합니다.

4 신용 카드를 쓰는 것은 쓴 돈을 언제까지 갚겠다고 약속하는 의미를 포함하고 있기 때문에 신용 카드를 쓰고 돈을 내지 못하면 신용 불량자가 되어 여러 가지 불이익을 받게 됩니다.

034쪽   똑똑한 하루 독해 **어휘**

1 (1) 꾸기   (2) 직장
2 (1) 소비자   (2) 소비량   (3) 소비 생활

1 (1) '빌리기'는 '뒤에 도로 갚기로 하고 남의 것을 얼마 동안 빌려 쓰기.'라는 뜻의 낱말인 '꾸기'와 바꾸어 쓸 수 있습니다.
   (2) '일자리'는 '사람들이 일정한 직업을 가지고 일하는 곳.'이라는 뜻의 낱말인 '직장'과 바꾸어 쓸 수 있습니다.

【 왜 틀렸을까? 】
'취미'는 '전문적으로 하는 것이 아니라 즐기기 위하여 하는 일.'이라는 뜻의 낱말이므로 '일자리'와 바꾸어 쓸 수 없습니다.

2 (1) 소비하는 사람을 '소비자'라고 합니다.
   (2) 돈, 물건, 시간 따위를 소비하는 양을 '소비량'이라고 합니다.
   (3) 생활하면서 돈이나 물건을 소비하는 일을 '소비 생활'이라고 합니다.

【 더 알아보기 】
'소비'와 뜻이 반대인 말은 '인간이 생활하는 데 필요한 각종 물건을 만들어 냄.'이라는 뜻의 낱말인 '생산'입니다.

035쪽   똑똑한 하루 독해 **게임**

올바른 소비 습관을 가진 친구는 [다][솔] 이다.

◉ 다솔이는 갖고 싶은 인형 대신 꼭 필요한 물건인 물감을 샀기 때문에 올바른 소비 습관을 가졌다고 할 수 있습니다.

【 왜 틀렸을까? 】
미나: 꼭 필요하거나 사려는 계획이 없었는데도 친구가 사는 것을 따라 샀습니다.
기준: 싸고 품질이 좋은 것을 따져서 사지 않고 가장 비싼 것을 샀습니다.
채이: 가지고 있는 돈에 맞추지 않고 다른 사람의 부러움을 사려고 비싼 것을 샀습니다.

5일

❶ 피클   ❷ 소독   ❸ 숙성

1 ①   2 오이를 씻으려고 등   3 ❶ 오이
❷ 숙성

1 오이 피클을 담글 때 오이, 굵은 소금, 식초, 설탕, 피클링 스파이스를 준비하라고 하였습니다. 따라서 간장은 오이 피클을 담글 때 필요한 재료가 아닙니다.

2 오이 피클을 담글 때 굵은 소금으로 오이를 깨끗이 씻었습니다.

> **채점 기준**
> 오이를 씻기 위해서라는 내용이 들어가게 답을 썼으면 정답으로 합니다.

3 두 번째 사진은 오이를 썰고 있는 모습이고, 다섯 번째 사진은 담근 오이 피클을 숙성시키고 있는 모습입니다.

1 (1) 찌기   (2) 데치기   (3) 부치기
2 (1) 사흘   (2) 엿새   (3) 아흐레

1 (1) 만두를 찌고 있는 그림입니다.
  (2) 시금치를 데치고 있는 그림입니다.
  (3) 전을 부치고 있는 그림입니다.

> **〔 더 알아보기 〕**
> 그 밖의 요리 방법 더 알아보기
> • **삶기**: 국수나 달걀 등을 물에 넣고 열을 가하여 익힌 후 건져 내는 방법입니다.
> • **굽기**: 고기나 생선 등을 석쇠나 프라이팬을 이용해 불에서 직접 익히는 방법입니다.

2 (1) 3일은 '사흘'이라고 합니다.
  (2) 6일은 '엿새'라고 합니다.
  (3) 9일은 '아흐레'라고 합니다.

우리 엄마는 우리나라 고유의 음식을 만드는 일을 하시는 (푸드 스타일리스트 , 제과 제빵사 , 전통 식품 제조원 , 요리 연구가)이시다.

◎ 우리나라 고유의 음식을 만드는 사람을 전통 식품 제조원이라고 합니다.

1 돌   2 ②   3 (2) ○   4 투명 우산
5 다솔   6 작게   7 ②, ⑤   8 ⑤
9 (1) ○   (3) ○   10 ④

1 꼬마 사또는 벼슬아치들에게 돌로 만든 갓을 하나씩 나누어 주었습니다.

2 '쓰다'는 '모자 따위를 머리에 얹어 덮다.'라는 뜻입니다. '쓰다'와 뜻이 반대인 말은 '사람이 자기 몸 또는 몸의 일부에 착용한 물건을 몸에서 떼어 내다.'라는 뜻의 '벗다'입니다.

3 벼슬아치들은 돌로 만든 갓을 쓰자 머리가 무거워 목이 꺾어져서 저절로 꼬마 사또에게 인사를 하게 되었습니다.

4 투명 우산의 특징과 장점에 대해 설명하는 글입니다.

5 투명 우산은 우산살이 없어 바람에 부서질 염려가 없다고 하였으므로, 아라는 투명 우산에 대해 잘못 말하였습니다.

6 ⊙에는 '크기가 보통보다 덜하게.'라는 뜻의 '작게'가 알맞습니다.

> **〔 왜 틀렸을까? 〕**
> • **적다**: 수나 양, 정도가 일정한 기준에 미치지 못하다.

7 2연에서 '붙어서 가자.'가 반복되었고, 3연에서 '나란히'가 반복되었습니다.

┌─ 【 더 알아보기 】 ─────────────────┐

반복되는 말

　같은 말이 두세 번 이어서 나오는 말을 '반복되는 말'이라고 합니다. 반복되는 말을 읽으면 재미있고, 직접 보거나 듣는 것 같은 느낌이 듭니다.

└────────────────────────────┘

8 시의 내용으로 보아, 비가 그친 뒤에도 두 친구가 우산 하나를 함께 쓰고 다정하게 걸어가는 장면이 떠오릅니다.

9 신용 불량자는 은행에서 돈을 빌리기 어렵고, 일자리를 구하기 힘들며 사람들에게 비난을 받을 수도 있습니다. 이러한 신용 불량자가 되지 않으려면 올바른 소비 습관을 들여야 합니다.

10 주어진 글은 오이 피클을 만들 때 필요한 재료를 설명하고 있으므로, 재료가 잘 나타나 있는 사진을 찾아봅니다.

044쪽~049쪽

특강 창의·융합·코딩

1 ❶ 주목　❷ 소득　❸ 비난

2 실험1 컵에 구슬을 넣었을 때 안에 들어 있는 구슬이 보이는 것은 (⟨투명한⟩, 불투명한) 컵이에요.

　실험2 투명한 물체는 불투명한 물체보다 (진한, ⟨연한⟩) 그림자가 생겨요.

3
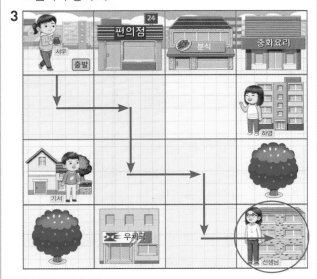

4 (1) 현금　(2) 넣어

---

5 (1) ① 비 상　② 비 정 상

　(2) 非 一 非 再

1 1주에서 배운 낱말을 떠올리며 알맞은 답을 씁니다.

2 투명한 물체는 안에 들어 있는 구슬이 보이고, 연한 그림자가 생깁니다. 불투명한 물체는 안에 들어 있는 구슬이 보이지 않고, 진한 그림자가 생깁니다.

┌─ 【 더 알아보기 】 ─────────────────┐

불투명한 물체와 투명한 물체의 그림자

• 빛이 나아가다가 불투명한 물체를 만나면 빛이 통과하지 못해 진한 그림자가 생깁니다.

• 빛이 나아가다가 투명한 물체를 만나면 빛이 대부분 통과해 연한 그림자가 생깁니다.

└────────────────────────────┘

3 코딩 명령에 맞게 이동해 봅니다. 아래쪽으로 한 칸, 오른쪽으로 한 칸 이동합니다. 이것을 세 번 반복하면 선생님이 있는 곳에 도착합니다.

4 (1) 지폐나 동전 등을 이르는 말은 '현금'입니다.

　(2) 주문 방법에서 주문을 끝냈으면 카드를 투입하라고 하였습니다. '투입'은 '던져 넣음.'이라는 뜻이므로, '넣어'가 알맞습니다.

5 (1) ① 비상(非常): 뜻밖의 긴급한 사태. 또는 이에 대응하기 위하여 신속히 내려지는 명령.

　　② 비정상(非正常): 정상이 아님.

　(2) 빈칸에 들어갈 말은 非(아닐 비) 자입니다.

┌─ 【 더 알아보기 】 ─────────────────┐

'非' 자가 들어간 낱말

• **비리(非理):** 올바른 이치나 도리에서 어그러짐.

• **비몽사몽(非夢似夢):** 완전히 잠이 들지도 깨어나지도 않은 어렴풋한 상태.

• **비상구(非常口):** 화재나 지진 따위의 갑작스러운 사고가 일어날 때에 급히 대피할 수 있도록 특별히 마련한 출입구.

• **비상금(非常金):** 뜻밖의 긴급한 사태에 쓰기 위하여 마련하여 둔 돈.

• **비수기(非需期):** 물건을 사거나 어떤 곳을 찾는 사람이 적은 때.

• **비행(非行):** 잘못되거나 그릇된 행위.

└────────────────────────────┘

052쪽~053쪽 | 2주에는 무엇을 공부할까? ❷

1-1 닿는	**1-2** 닿는
2-1 맞춰	**2-2** 맞춰

1-1~1-2 '닿는'은 '어떤 것이 다른 어떤 것에 가까이 가서 붙게 되는.'이라는 뜻이고, '닫는'은 '열린 문짝, 뚜껑, 서랍 따위를 도로 제자리로 가게 하여 막는.'이라는 뜻이므로, '닿는'이 알맞은 표현입니다.

2-1~2-2 '맞춰'는 '어떤 기준이나 정도에 어긋나지 아니하게 하여.'라는 뜻이고, '맞혀'는 '문제에 대한 답을 틀리지 않게 하여.'라는 뜻이므로, '맞춰'가 알맞은 표현입니다.

1일

055쪽 똑똑한 하루 독해 **미리 보기**

❶ 밤참　❷ 거의　❸ 베란다

056쪽~057쪽 똑똑한 하루 독해

1 (1) ○　**2** (2) ○　**3** 돌아올 시간이 거의 다 되었기 때문이다. 등　**4** ❶ 밤참 ❷ 아침

1 사람의 신체 부위인 '배', 배나무의 열매인 '배', 사람이나 짐 등을 싣고 물 위를 떠다니도록 만든 물건인 '배'는 소리가 같지만 뜻이 다른 낱말이에요.

2 토끼는 베란다에서 사람들이 밥 먹는 모습을 많이 보았기 때문에 식사하는 법을 잘 알고 있다고 하였습니다.

3 아침이 되자 이 집 식구들이 돌아올 시간이 거의 다 되어 토끼는 베란다로 돌아가려고 하였습니다.

　　채점 기준
　　'이 집 식구들이 돌아올 시간이 다 되었기 때문에'라는 내용과 비슷하게 썼으면 정답으로 합니다.

4 시간의 흐름이나 장소의 변화에 따라 일이 일어난 차례를 정리해 봅니다.

058쪽 똑똑한 하루 독해 **어휘**

1 (1) 활짝　(2) 둥근　(3) 넓은　(4) 높이
2 아침, 오늘, 열 시, 오후

1 꾸며 주는 말은 뒤에 오는 말을 꾸며 주어 그 뜻을 자세하게 해 주는 말입니다.

　　[더 알아보기]
　　꾸며 주는 말을 사용하면 좋은 점
　　• 내 생각을 정확하게 나타낼 수 있습니다.
　　• 느낌을 실감 나게 표현할 수 있습니다.
　　• 내 생각을 더 생생하게 표현할 수 있습니다.

2 문장을 쓸 때에 그 일이 언제 일어난 것인지 알려 주는 말을 사용할 때가 있는데 이를 '시간을 나타내는 말'이라고 합니다.

　　[왜 틀렸을까?]
　　'침대, 거실, 부엌'은 장소를 나타내는 말입니다.

059쪽 똑똑한 하루 독해 **게임**

🐜 토끼가 다녀간 장소를 따라가며 얻은 자음자와 모음자는 (1) 'ㅍ, ㅜ, ㄹ'이고, 이것을 모두 합치면 (2) '풀'이라는 글자가 만들어져요.

◉ 이야기 속 토끼는 냉장고를 열어 먹을 것이 없는지 살폈고, 음식들을 꺼내 식탁에서 먹었습니다. 그리고 침대에 누워 아침까지 잠을 잤습니다.

2일

061쪽 똑똑한 하루 독해 미리 보기

❶ 용서　❷ 미각

062쪽~063쪽 똑똑한 하루 독해

1 ②　　2 발끝　　3 그 맛을 느낄 수 없게 된다.
등　　4 ❶ 미각　❷ 맛

1 파리가 다리를 비비는 행동에 어울리는 흉내 내는 말을 찾아봅니다. '거침없이 자꾸 밀거나 쓸거나 비비거나 하는 소리. 또는 그 모양.'을 뜻하는 '싹싹'이 알맞습니다.

〔 왜 틀렸을까? 〕
① 펄펄: 많은 양의 물이나 기름 따위가 계속해서 몹시 끓는 모양.
③ 질질: 바닥에 늘어지거나 닿아서 느리게 끌리는 소리. 또는 그 모양. / 몸에 지닌 물건들을 주책없이 여기저기 자꾸 흘리거나 빠뜨리는 모양.
④ 훨훨: 새와 같은 날짐승 따위가 높이 떠서 느릿느릿 날개를 치며 매우 시원스럽게 나는 모양.
⑤ 주르륵: 물건 등이 비탈진 곳에서 빠르게 잠깐 미끄러져 내리다가 멎는 모양.

2 파리가 맛을 느끼는 미각 기관은 발끝에 있다고 하였습니다.

3 파리는 발끝에 더러운 것들이 묻으면 맛있는 음식을 발견해도 그 맛을 느낄 수 없게 된다고 하였습니다.

채점 기준
'음식의 맛을 느낄 수 없게 된다.'와 비슷하게 썼으면 정답으로 합니다.

4 파리가 다리를 비비는 까닭을 찾아 빈칸에 들어갈 알맞은 낱말을 써 봅니다.

〔 더 알아보기 〕
중요한 내용을 찾는 방법
• 제목을 보고 무엇에 대한 내용인지 짐작합니다.
• 글쓴이가 하고 싶은 말이 무엇인지 찾습니다.

064쪽 똑똑한 하루 독해 어휘

1 (1) ◯
2 (1) ② (2) ①

1 밑줄 그은 낱말인 '다리'는 '사람이나 동물의 몸통 아래 붙어 있는 신체의 부분.'이라는 뜻입니다.

〔 왜 틀렸을까? 〕
그림 (2)의 '다리'는 '물을 건너거나 또는 한편의 높은 곳에서 다른 편의 높은 곳으로 건너다닐 수 있도록 만든 시설물.'을 뜻하며, 그림 (3)의 '다리'는 '물체의 아래쪽에 붙어서 그 물체를 받치거나 직접 땅에 닿지 않게 하거나 높이 있도록 버티어 놓은 부분.'을 뜻합니다.

2 '가늘다'는 '물체의 너비가 좁거나 굵기가 얇으면서 길다.'라는 뜻이며 '더럽다'는 '쓰레기나 지저분한 물건이 여기저기 널려 있어 보기 흉하다.'라는 뜻입니다.

〔 더 알아보기 〕
뜻이 서로 반대되는 낱말 예

	뚱뚱하다 ↔ 마르다
	위 ↔ 아래
	올라가다 ↔ 내려가다
	앞 ↔ 뒤

065쪽 똑똑한 하루 독해 게임

개미나 벌과 같은 곤충은 (1) 더듬이 로 맛을 느끼고, 파리나 나비와 같은 곤충은 (2) 발끝 으로 맛을 느낀다.

◉ 아빠가 한 말을 정리해 봅니다. 개미나 벌과 같은 곤충은 더듬이로, 파리나 나비와 같은 곤충은 발끝으로 맛을 느낀다고 하였습니다.

 3일

067쪽 ┐ 똑똑한 **하루 독해** 미리 보기

1 정원　　　**2** 황금

068쪽~069쪽 ┐ 똑똑한 **하루 독해**

1 ③　　　**2** ③　　　**3** 정원에 있는 나뭇가지 하나
를 손으로 잡고 등　　　**4** ❶ 황금　❷ 소원

1 '매우'는 '보통 정도보다 훨씬 더.'라는 뜻으로, 바꾸
어 쓸 수 있는 낱말은 '아주'입니다.

　　{ 왜 틀렸을까? }
　　① **한참**: 시간이 상당히 지나는 동안.
　　② **약간**: 얼마 되지 않음.
　　④ **조금**: 적은 정도나 분량.
　　⑤ **문득**: 생각이나 느낌 따위가 갑자기 떠오르는 모양.

2 자신의 손에 닿는 것이 모두 황금으로 변하게 해 달
라는 소원을 빈 것으로 보아, 욕심이 많은 성격임을
짐작할 수 있습니다.

　　{ 더 알아보기 }
　　인물의 성격을 나타내는 말 예
　　• **쾌활하다**: 성격이 시원스럽고 마음이 넓다.
　　• **섬세하다**: 매우 찬찬하고 세밀하다.
　　• **인색하다**: 어떤 일을 하는 데 대하여 지나치게 박하다.
　　• **거만하다**: 잘난 체하며 남을 업신여기는 데가 있다.

3 미다스 왕은 궁전으로 돌아와 자신의 소원이 이루어
졌는지 시험해 보기 위해 정원에 있는 나뭇가지 하
나를 손으로 잡고 똑 분질렀습니다.

　　채점 기준
　　미다스 왕이 정원에 가서 한 일을 잘 찾아 썼으면 정답
　　으로 합니다.

4 이야기를 차례대로 정리해 봅니다.

070쪽 ┐ 똑똑한 **하루 독해** 어휘

1 종수　　　**2** 기뻐요

1 밑줄 그은 낱말인 '돌아갔습니다'는 '자신이 원래의
있던 곳으로 다시 갔습니다.'라는 뜻입니다.

2 그림 속 인물이 처한 상황과 표정을 보며 어떤 마음
일지 짐작해 봅니다.

071쪽 ┐ 똑똑한 **하루 독해** 게임

◉ 민호의 설명을 잘 읽고 그리스 국기를 들고 있는 사
람을 찾아봅니다.

{ 왜 틀렸을까? }

	우루과이 국기
	핀란드 국기
	스위스 국기
	영국 국기
	스웨덴 국기

073쪽 　똑똑한 하루 독해 | 미리 보기

1 시설 　　**2** 야생

074쪽~**075**쪽 　똑똑한 하루 독해

1 (2) ✕ 　　**2** ⑤ 　　**3** 스트레스를 받는다. 등
4 ❶ 동물원 ❷ 야생

1 동물원 생활이 맞지 않다고 예를 든 동물은 돌고래, 북극곰, 코끼리입니다.

2 동물원에서 돌고래가 사는 곳이 어디인지 생각해 봅니다.

3 이 글의 글쓴이는 넓은 곳에 사는 동물들이 좁은 우리에 갇혀 생활하면 운동이 부족해 근육이 줄어들고, 병에 잘 걸리거나 스트레스를 받는다고 하였습니다.

> **채점 기준**
> 제시된 답과 비슷하게 썼으면 정답으로 합니다.

> (더 알아보기)
> **동물원을 없애야 하는 까닭** 예
> • 동물원 관람객의 부주의한 행동은 동물을 죽게 하는 원인이 돼요. 우리나라의 한 동물원에서 죽은 물범의 배에서는 120개가 넘는 동전이 발견됐고, 악어의 위에서는 찌그러진 페트병이 나오기도 했어요.
> • 동물원의 동물 쇼는 동물들에게 고통을 준답니다. 사람들에게 즐거움을 주기 위해 네 발로 다니는 곰을 새끼 때부터 줄에 매어 훈련하고, 불타는 링을 통과하는 사자와 호랑이는 매질을 당하기도 해요.

4 글 제목과 글의 내용을 바탕으로 글쓴이의 의견과 의견을 낸 까닭을 정리해 봅니다.

> (더 알아보기)
> **글쓴이의 의견**
> 글쓴이가 어떤 대상에 대하여 가지는 생각을 '의견'이라고 합니다.

076쪽 　똑똑한 하루 독해 | 어휘

1 과일 등
2 (1) 예 족제비, 비누통 　(2) 예 경찰관, 관심

1 '사과, 포도, 감'을 모두 포함하는 낱말은 '과일' 등입니다.

> (더 알아보기)
> **다른 낱말을 포함하는 낱말** 예
> • **채소**: 오이, 당근, 양파, 마늘
> • **꽃**: 장미, 튤립, 개나리, 진달래, 철쭉

2 낱말의 마지막 글자를 첫 글자로 하는 낱말을 생각하여 계속 이어 써 봅니다.

077쪽 　똑똑한 하루 독해 | 게임

동물원이 필요한 까닭을 말한 친구들이 들고 있는 풍선의 숫자를 모두 더하면 　10　 이야.

○ 동물원이 꼭 필요하다는 의견에 알맞은 까닭을 찾아봅니다. 동물원이 있으면 멸종 위기의 동물들을 보호할 수 있고, 다른 지역의 동물들을 직접 보고 어떻게 생활하는지 관찰할 수 있습니다. 이 내용을 말한 친구들이 들고 있는 풍선의 숫자는 6과 4이고 이를 더한 숫자는 10이므로 식으로 나타내면 $6+4=10$ 입니다.

5일

079쪽 **똑똑한 하루 독해 미리 보기**

❶ 실내 ❷ 음악 ❸ 청소

080쪽~081쪽 **똑똑한 하루 독해**

1 ⑤ **2** 천둥소리 **3** 청소기에서 나는 시끄러운 소리 때문에 등 **4** ❶ 소리 ❷ 청소

1 글쓴이는 공동 주택에 사는 사람들이 모두 행복할 수 있도록 층간 소음을 줄이기 위한 예절을 지켜 달라고 하였습니다.

2 글쓴이는 '쿵쿵거리는 발걸음 소리'를 '천둥소리'로 빗대어 표현하였습니다.

┌─ 【 더 알아보기 】
│ 어떤 현상이나 사물을 비슷한 현상이나 사물에 빗대어
│ 표현하면 생생한 느낌을 줄 수 있고, 읽는 사람이 장면을
│ 쉽게 떠올릴 수 있습니다.
└─

3 글쓴이는 아침이나 늦은 밤에 청소기를 돌리면 청소기에서 나는 시끄러운 소리 때문에 이웃이 편안히 쉬기가 힘들기 때문에 청소는 될 수 있으면 낮에 해 달라고 하였습니다.

채점 기준
제시된 답과 비슷한 내용으로 썼으면 정답으로 합니다.

4 글의 제목과 내용을 보고 글쓴이가 알리려는 내용은 무엇인지 생각해 봅니다.

082쪽 **똑똑한 하루 독해 어휘**

1 (1) 반드시 (2) 반듯이
2 (1) 폴짝폴짝 (2) 살랑살랑

1 낱말 뜻을 참고로 하여 알맞은 낱말을 써 봅니다.

2 그림에 어울리는 모양을 흉내 내는 말을 생각해 봅니다.

083쪽 **똑똑한 하루 독해 게임**

◉ 그림의 각 상황을 보고 공동 주택에서 지켜야 할 예절은 무엇인지 생각해 봅니다. 쓰레기를 창밖에 버리면 집 주위가 더러워지고, 창문을 열고 옷이나 이불을 털면 아랫집으로 먼지가 들어갑니다. 또 큰 소리로 노래를 부르면 소음 때문에 이웃들이 편안히 쉬기가 힘듭니다.

084쪽~085쪽 **평가 누구나 100점 테스트**

1 (3) ○ **2** 베란다 **3** ④ **4** (3) ○
5 ② **6** 야생 **7** ① **8** 층간 소음
9 반드시 **10** ①, ③

1 토끼는 이 집 식구들이 돌아올 시간이 거의 다 되자 자기 집으로 돌아가려고 하였습니다.

┌─ 【 더 알아보기 】
│ **일이 일어난 차례대로 이야기의 내용을 정리하는 방법**
│ • 일이 일어난 시간과 장소를 찾아봅니다.
│ • 시간과 장소에 따라 인물이 한 일을 정리합니다.
└─

2 베란다가 토끼 집이라고 하였습니다.

3 '더러운'은 '때나 찌꺼기 따위가 있어 지저분한.'이라는 뜻입니다. '더러운'과 뜻이 반대인 말은 '사물이 더럽지 않은.'이라는 뜻의 '깨끗한'입니다.

4 미다스 왕은 디오니소스에게 자신의 손이 닿는 것은 무엇이든 황금으로 변하게 해 달라고 하였습니다.

5 미다스 왕은 디오니소스가 자신의 소원을 들어주기로 하였으므로 뛸 듯이 기뻤을 것입니다.

6 아무리 시설이 잘 되어 있다고 해도 동물원은 야생과 같은 수준의 환경을 제공할 수 없으므로 돌고래나 북극곰, 코끼리에게 동물원 생활은 맞지 않습니다.

7 글쓴이는 야생 동물이 동물원 생활에 맞지 않는 까닭인 야생 동물이 동물원 우리에 갇혀 근육이 줄어들고 병에 잘 걸리거나 스트레스를 받는 상황을 말하고 있습니다. 글의 내용으로 보아, 글쓴이가 하고 싶은 말은 '동물원은 없어져야 한다.'입니다.

〔 더 알아보기 〕

글쓴이의 의견을 파악하는 방법
· 글의 제목을 살펴봅니다.
· 글쓴이가 글을 쓴 목적을 생각해 봅니다.
· 중요한 낱말을 찾아봅니다.

8 공동 주택에 사는 주민들이 모두 행복한 생활을 할 수 있도록 층간 소음을 줄이기 위해 지켜야 할 예절에 대해 말하고 있습니다.

9 '반듯이'는 '작은 물체, 또는 생각이나 행동 따위가 비뚤어지거나 기울거나 굽지 않고 바르게.'라는 뜻이고, '반드시'는 '틀림없이 꼭.'이라는 뜻이므로, '반드시'가 알맞은 표현입니다.

10 쿵쿵거리는 발걸음 소리가 아랫집에 사는 사람에게는 천둥소리처럼 들리므로 실내에서는 발걸음 소리가 나지 않게 조심해서 걸어 달라는 내용이므로, '사뿐사뿐' 또는 '살금살금'이 알맞은 표현입니다.

〔 왜 틀렸을까? 〕

② **쿵쾅쿵쾅**: 발로 마룻바닥을 잇따라 구를 때 나는 소리.
④ **쓱싹쓱싹**: 톱질이나 줄질을 자꾸 할 때 나는 소리.
⑤ **보글보글**: 적은 양의 액체가 잇따라 야단스럽게 끓는 소리. 또는 그 모양.

086쪽~**091**쪽   **특강** 창의·융합·코딩

1 ❶ 미각 ❷ 시설 ❸ 소원
2 사각형 1개 삼각형 5개 원 5개
3
4 (1) 높으니 (2) 밖
5 (1) ① 음 식 ② 식 량
(2) 弱 肉 強 食

1 2주에서 배운 낱말을 떠올리며 알맞은 답을 씁니다.

2 꽃에는 삼각형 5개와 원 1개가, 줄기에는 사각형 1개가, 잎에는 원 4개가 사용되었습니다.

3 코끼리가 아래쪽으로 2칸, 오른쪽으로 3칸, 아래쪽으로 1칸을 가면 숲에 도착할 수 있습니다.

4 (1) '폭염 경보'는 하루 최고 기온이 35도 이상인 상태가 2일 이상 계속될 것으로 예상되어 조심하도록 미리 알려 주는 것입니다.
(2) '야외'는 건물 밖을 말합니다.

5 (1) ① 음식(飮食): 사람이 먹을 수 있도록 만든, 밥이나 죽 따위의 물건.
② 식량(食糧): 생존을 위하여 필요한 사람의 먹을거리.
(2) 빈칸에 들어갈 말은 食(먹을 식) 자입니다.

3주 정답 및 해설

1-1 뻘뻘   **1-2** (1) ○
2-1 이르는   **2-2** 이르는

1-1~1-2 '엉엉'은 '목을 놓아 크게 우는 소리. 또는 그 모양.'이라는 뜻이고, '뻘뻘'은 '땀을 매우 많이 흘리는 모양.'이라는 뜻입니다.

2-1~2-2 '이르는'은 '어떤 것을 말하는.'이라는 뜻이고, '이루는'은 '뜻한 대로 되게 하는.'이라는 뜻이므로, '이르는'이 알맞은 표현입니다.

1일

097쪽   똑똑한 하루 독해   미리 보기

❶ 형제   ❷ 곰곰이

098쪽~099쪽   똑똑한 하루 독해

1 (1) ○   **2** 아기가 태어날 것이니까 등   **3** (1) ○
4 ❶ 똑같이   ❷ 볏단

1 옛날 어느 마을에 사이좋은 형제가 살았다고 하였습니다.

2 형은 동생에게 곧 아기가 태어날 것이니까 동생이 벼를 더 많이 가지는 것이 좋겠다고 생각해 밤중에 논으로 나가 자기 볏단을 동생의 볏단 위에 몰래 올려놓고 왔습니다.

> **채점 기준**
> 글에 나타난 형의 생각을 잘 찾아 썼으면 정답으로 합니다.

3 형은 동생의 볏단 위에, 동생은 형의 볏단 위에 몰래 자신의 볏단을 올려놓고 온 사건과 자연스럽게 어울리도록 이어질 내용을 상상해 봅니다.

4 사이좋은 형제가 각자 어떤 행동을 했는지 생각하며 중요한 내용을 정리하여 봅니다.

100쪽   똑똑한 하루 독해   어휘

1 (1) 부지런히   (2) 곰곰이   **2** (1) ①   (2) ③   (3) ②

1 (1) '어떤 일을 꾸물거리거나 미루지 않고 꾸준하게 열심히 하는 태도로.'의 뜻을 가진 낱말의 바른 표기는 '부지런히'입니다.
    (2) '여러모로 깊이 생각하는 모양.'을 뜻하는 낱말의 바른 표기는 '곰곰이'입니다.

> **〔 더 알아보기 〕**
> **'-이'와 '-히'로 끝나는 낱말 더 알아보기** 예
> • -이: 깊숙이, 수북이, 일일이, 낱낱이
> • -히: 조용히, 무사히, 나란히, 영원히

2 (1) 형과 동생을 아울러 이르는 말은 '형제'입니다.
    (2) 언니와 여동생 사이를 이르는 말은 '자매'입니다.
    (3) 한 부모가 낳은 아들과 딸을 아울러 이르는 말은 '남매'입니다.

101쪽   똑똑한 하루 독해   게임

◎ 동생의 생각으로 알맞은 것을 찾아 길을 찾아봅니다.

103쪽 　　똑똑한 하루 독해 **미리 보기**

1 대개　　**2** 몸통　　**3** 마디

104쪽~**105**쪽 　　똑똑한 하루 독해

1 ①　　**2** (2) ○　　**3** 등이 볼록하여 마치 작은
공처럼 보인다. 등
4 ❶ 다리　**❷** 마디　**❸** 앞뒤

1 이 글은 게가 옆으로 걷는 까닭에 대해 알려 주고 있
습니다.

2 게는 대부분 옆으로 걷는다는 내용 뒤에 앞의 내용
과 다른 내용인 앞으로 걷는 게도 있다는 내용이 나
왔으므로 　⏢　 안에 들어갈 알맞은 말은 (2) '하
지만'입니다. (1) '그리고'는 서로 비슷한 내용의 두
문장 사이에 어울리는 말입니다.

【 더 알아보기 】

이어 주는 말 더 알아보기 예
• **그래서**: 앞의 내용과 뒤의 내용이 원인과 결과의 관계일
  때 이어 주는 말.
  예 진명이는 추운 날 밖에 서 있었다. <u>그래서</u> 감기에 걸
  렸다.
• **그러나**: 앞뒤의 내용이 서로 반대되는 내용을 이어 주는
  말.
  예 성아는 달리기 대회에서 1등을 하고 싶었다. <u>그러나</u>
  꼴찌를 하고 말았다.

3 앞으로 걷는 게인 밤게는 밤톨만 하고 둥글게 생겼
는데, 등이 볼록하여 마치 작은 공처럼 보인다고 하
였습니다.

채점 기준
글의 마지막 부분에 나타나 있는 '밤게'의 생김새에 대
한 설명을 알맞게 찾아 썼으면 정답으로 합니다.

4 대부분의 게는 다리가 몸통 옆에 있고, 다리에 있는
각각의 마디가 옆으로만 구부러지게 되어 있고, 다
리의 앞뒤가 매우 가깝게 붙어 있기 때문에 옆으로
걷습니다.

106쪽 　　똑똑한 하루 독해 **어휘**

1 (1) 게　(2) 배　　**2** (1) ①　(2) ②

1 (1) 그림에 알맞은 낱말은 '온몸이 단단한 껍질로 싸
여 있으며 열 개의 발이 있어 옆으로 기어 다니는
동물.'이라는 뜻의 '게'입니다.
(2) 그림에 알맞은 낱말은 '사람이나 물건을 싣고 물
위를 다니는 교통수단.'이라는 뜻의 '배'입니다.

【 왜 틀렸을까? 】

(1) **개**: 냄새를 잘 맡고 귀가 매우 밝으며 영리하고 사람을
잘 따라 사냥이나 애완 등의 목적으로 기르는 동물.
(2) **베**: 여름 옷이나 여름 이불, 또는 상복 등을 만드는 데
쓰는 삼의 실로 짠 누런 천.

2 '다리'는 형태는 같지만 뜻이 다른 낱말로, (1)에 쓰
인 '다리'는 '강, 바다, 길, 골짜기 등을 건너갈 수 있
도록 양쪽을 이어서 만들어 놓은 시설.'이라는 뜻이
고, (2)에 쓰인 '다리'는 '사람이나 동물의 몸통 아래
붙어 있는 신체의 부분.'이라는 뜻입니다.

【 더 알아보기 】

(1)의 '다리'와 (2)의 '다리' 같이 글자는 같지만 뜻이 다
른 낱말을 '동형어'라고 합니다.

107쪽 　　똑똑한 하루 독해 **게임**

(1) 불가사리　(2) 갯지렁이　(3) 조개

● 물이 들어오기도 하고 빠지기도 하면서 생물이 살기
에 적합한 환경이 된 갯벌에는 다양한 생물이 삽니
다. 게, 조개, 갯지렁이, 불가사리 등 갯벌에 사는 다
양한 생물의 생김새를 알고, 이름을 각각 바르게 써
봅니다.

3일

109쪽 똑똑한 하루 독해 **미리 보기**

1 대문　　　**2** 동동

110쪽~111쪽 똑똑한 하루 독해

1 ①　　　**2** ②　　　**3** 팽이를 돌리며 놀고 싶어서이다. 등　　**4** ❶ 강아지 ❷ 팽이

1 팽이가 도는 모양을 알맞게 흉내 내는 말은 '팽, 팽, 팽,'입니다.

〔 왜 틀렸을까? 〕
② **뚝, 뚝, 뚝,**: 큰 물체나 물방울 따위가 잇따라 아래로 떨어지는 소리. 또는 그 모양.
③ **철, 철, 철,**: 많은 액체가 넘쳐흐르는 모양.
④ **콸, 콸, 콸,**: 많은 양의 액체가 급히 쏟아져 넘쳐 흐르는 소리.
⑤ **둥, 둥, 둥,**: 큰북 따위를 잇따라 두드리는 소리. 또는 물체가 떠서 움직이는 모양.

2 돌고 싶은 팽이가 주머니 속에서 친구를 동동 기다리고 있다는 시의 내용으로 보아, 이 글의 '나'는 대문 앞에 서서 친구를 기다리고 있다는 사실을 알 수 있습니다.

〔 왜 틀렸을까? 〕
③ 아저씨, ④ 강아지, ⑤ 아주머니는 지나가다 '나'와 우연히 마주쳤지만, '내'가 기다리던 인물은 아닙니다.

3 추운 날 대문 앞에 서서 '나'는 주머니 속에 있는 팽이를 함께 돌리며 놀고 싶어서 친구를 기다리고 있습니다.

채점 기준
함께 팽이를 돌리며 놀고 싶다는 의미로 답을 썼으면 정답으로 합니다.

4 '내'가 대문 앞에서 만난 인물과 처한 상황을 알맞게 정리해 빈칸에 각각 답을 씁니다.

112쪽 똑똑한 하루 독해 **어휘**

1 (1) 팽팽　(2) 컹컹　(3) 동동
2 (1) ②　(2) ③　(3) ①

1 (1) 팽이를 돌리는 모양에 어울리는 흉내 내는 말은 '팽팽'입니다.
(2) 강아지가 짖는 소리에 어울리는 흉내 내는 말은 '컹컹'입니다.
(3) 발을 구르는 모양에 어울리는 흉내 내는 말은 '동동'입니다.

2 제시된 그림과 어울리는 낱말을 각각 찾아봅니다. 팽이에 어울리는 낱말은 '돌리다'이고, 강아지에 어울리는 낱말은 '짖다', 양말에 어울리는 낱말은 '신다'입니다.

113쪽 똑똑한 하루 독해 **게임**

◎ 오른쪽 아래 그림의 시계가 나타내는 시간은 12시 50분으로, 1시 10분 전입니다. 그러므로 1시 10분에 점심을 먹었다는 여자아이의 말은 알맞지 않습니다.

115쪽 　똑똑한 하루 독해 미리 보기

❶ 계절 　❷ 샘내어

116쪽~**117**쪽 　똑똑한 하루 독해

1 ②
2 식량 사정이 가장 어려운 때 등
3 (3) ×
4 ❶ 꽃샘 　❷ 보릿고개

1 이 글은 봄과 관련된 우리말에 대한 글입니다.

　〔 더 알아보기 〕

　다른 계절과 관련된 우리말 예

　• **일더위:** 여름이 시작되는 첫머리에 일찍 찾아오는 더위.
　• **늦더위:** 여름이 다 가고 가을이 되었는데도 가시지 않는
　　더위.
　• **가을걷이:** 가을에 잘 익은 곡식을 거두어들이는 것.

2 글의 마지막 부분을 보면 '보릿고개'의 뜻이 나타나
　있습니다.

　　채점 기준
　　식량 사정이 어려운 때라는 내용이 들어가 있으면 정답
　　으로 합니다.

3 '잎샘추위'는 '꽃샘추위'와 비슷한 말로, 봄에 잎이
　피는 것을 샘내어 매섭게 몰아치는 추위를 나타내는
　말이고, '보릿고개'는 봄이 되면 가을에 거둔 쌀과
　곡식이 떨어져 농촌의 식량 사정이 가장 어려운 때
　를 빗대어 이르는 말입니다.

　〔 왜 틀렸을까? 〕

　　(3) '가을갈이'는 가을과 관련된 낱말로, 다음 해의 농사
　에 대비하여 가을에 미리 논밭을 갈아 두는 것을 이르는
　말입니다.

4 봄과 관련된 우리말인 '꽃샘'과 '보릿고개'의 뜻을 정
　리해 알맞은 말을 빈칸에 각각 씁니다.

118쪽 　똑똑한 하루 독해 어휘

1 (1) 햇 　(2) 햇 　(3) 햇 　**2** (1) 더위 　(2) 적다

1 (1)~(3)은 모두 '그해에 난' 또는 '얼마 되지 않은'의 뜻
　을 더하는 말인 '햇'이 들어가기 알맞은 낱말입니다.

　〔 더 알아보기 〕

　'햇'이 들어가는 낱말 더 알아보기 예

　• 햇순 　　　• 햇보리 　　　• 햇감자
　• 햇양파 　　• 햇병아리 　　• 햇밤

2 (1) '추운 정도.'를 뜻하는 '추위'와 뜻이 반대인 낱말
　은 '여름철의 더운 기운.'을 뜻하는 '더위'입니다.
　(2) '수나 분량, 정도 따위가 일정한 기준을 넘다.'를
　뜻하는 '많다'와 뜻이 반대인 낱말은 '수나 분량,
　정도가 일정한 기준에 미치지 못하다.'라는 뜻의
　'적다'입니다.

　〔 왜 틀렸을까? 〕

　• **작다:** 길이, 넓이, 부피 따위가 비교 대상이나 보통보다
　　덜하다.
　• **냉기:** 찬 기운.

119쪽 　똑똑한 하루 독해 게임

◉ 우리나라에서는 계절별로 다양한 음식을 먹습니다.
　봄에는 꽃으로 만든 전인 화전, 여름에는 삼계탕, 가
　을에는 송편, 겨울에는 팥죽 등을 즐겨 먹습니다.

121쪽 똑똑한 **하루 독해** 미리 보기

❶ 지진 ❷ 대피 ❸ 탑승

122쪽~**123**쪽 똑똑한 **하루 독해**

1 머리를 보호하기 등 **2** (2) ◯ **3** ④

1 지진이 발생했을 때에는 머리를 보호하기 위해서 책상 밑으로 들어가야 한다고 하였습니다.

> **채점 기준**
> '머리를 보호하기 위해서'라는 내용이 들어가 있으면 정답으로 합니다.

2 지진이 발생했을 때에는 계단을 사용하여 대피해야 합니다.

> (**왜 틀렸을까?**)
> 엘리베이터에 탑승하지 말아야 한다고 했습니다.

3 지진 대피 요령을 나뭇가지 모양으로 정리한 것으로, 지진이 났을 때에는 엘리베이터에 탑승하면 안 된다고 하였으므로 엘리베이터에 타라는 ④의 답은 알맞지 않습니다.

> (**더 알아보기**)
> **자료를 읽거나 듣고 난 뒤에 정리하는 방법 더 알아보기** 예

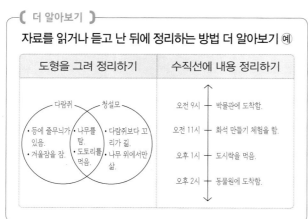

124쪽 똑똑한 **하루 독해** 어휘

1 (1) 대비 (2) 대피 **2** (1) 작은 (2) 많이

1 (1) 제시된 문장에 어울리는 낱말은 '앞으로 일어날 지도 모르는 어떠한 일에 대응하기 위하여 미리 준비함. 또는 그런 준비.'라는 뜻의 '대비'입니다.

(2) 제시된 문장에 어울리는 낱말은 '위험을 피해 잠깐 안전한 곳으로 감.'이라는 뜻의 '대피'입니다.

2 '자근'과 '마니'는 글자를 소리 나는 대로 잘못 쓴 것입니다. 글자를 쓸 때에는 소리 나는 대로 쓰지 않고 맞춤법에 맞게 써야 하므로, 각각 '작은'과 '많이'로 바르게 고쳐 문장을 완성해 봅니다.

> (**더 알아보기**)
> **글자와 소리가 다른 낱말 더 알아보기** 예
> • 바람을 [바라믈] • 옆에 [여페]
> • 깨끗이 [깨끄시] • 길에 [기레]

125쪽 똑똑한 **하루 독해** 게임

지진계는 (1) (지진을 예측하는 , 지진파를 기록하는) 기계로, 지진이 오는 것을 미리 아는 일은 매우 (2) (쉽다 , 어렵다).

◉ 지진계는 지진파를 기록하는 기계일 뿐 지진을 예측하는 기계가 아니며, 지진이 오는 것을 미리 아는 것은 매우 힘들다는 만화의 내용에 알맞은 말에 각각 ◯표를 해 봅니다.

126쪽~**127**쪽 〔평가〕 누구나 100점 테스트

1 곰곰이 **2** (2) ◯ **3** ④ **4** 옆으로
5 (1) ◯ **6** ⑤ **7** 친구 **8** 준수
9 꽃샘추위, 잎샘추위 **10** (4) ×

1 '여러모로 깊이 생각하는 모양.'을 뜻하는 낱말의 바른 표기는 '곰곰이'입니다.

2 형은 동생에게 곧 아기가 태어날 테니, 동생이 벼를 더 많이 가지는 게 좋겠다고 생각하였습니다.

3 동생을 위해 자기 볏단을 동생의 볏단 위에 몰래 올려놓은 것으로 보아, 형은 마음이 따뜻한 성격임을 짐작할 수 있습니다.

(더 알아보기)

인물의 성격 짐작하기
　인물이 하는 말과 행동을 잘 살펴보면 인물의 성격을 짐작할 수 있습니다.

4 게가 옆으로 걷는 까닭에 대해 설명하는 글입니다.

5 ㉠과 (1)에 쓰인 '다리'는 '사람이나 동물의 몸통 아래 붙어 있는 신체의 부분.'이라는 뜻입니다. (2)에 쓰인 '다리'는 '강, 바다, 길, 골짜기 등을 건너갈 수 있도록 양쪽을 이어서 만들어 놓은 시설.'이라는 뜻입니다.

6 게의 다리는 여러 개의 마디로 되어 있는데, 이 각각의 마디는 옆으로만 구부러지게 되어 있습니다.

7 '대문 앞에서 친구를 기다리는 내 마음'이라는 시의 내용으로 보아, '나'는 친구를 기다리고 있다는 것을 알 수 있습니다.

8 누군가를 기다렸던 경험을 말한 친구를 찾아봅니다.

(왜 틀렸을까?)

　이 시는 친구와 놀고 싶어서 추운 날씨에도 불구하고 대문 앞에서 친구를 기다린다는 내용입니다. 다영이는 동생과 싸우고 엉엉 울었던 경험을 떠올렸으므로, 시의 내용과 관련이 없습니다.

9 '꽃샘'은 흔히 '꽃샘추위'라고도 하며, 비슷한 말로는 '잎샘추위'가 있다고 하였습니다.

10 엘리베이터에 탑승하지 말고 질서를 지켜 계단으로 이동하라고 하였습니다.

128쪽~133쪽　특강 창의·융합·코딩

1 ❶ 곰곰이　**❷** 몸통　**❸** 대피

2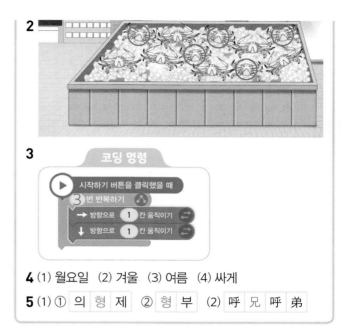

3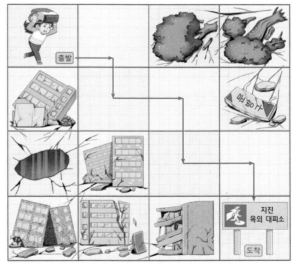

코딩 명령
▶ 시작하기 버튼을 클릭했을 때
3번 반복하기
→ 방향으로 1 칸 움직이기
↓ 방향으로 1 칸 움직이기

4 (1) 월요일　(2) 겨울　(3) 여름　(4) 싸게

5 (1) ① 의 형 제　② 형 부　(2) 呼 兄 呼 弟

1 3주에서 배운 낱말을 떠올리며 알맞은 답을 씁니다.

2 배의 덮개가 둥근 모양인 게를 찾아봅니다.

3 ➡ 방향으로 1칸, ⬇ 방향으로 1칸씩 3번 반복하면 대피소에 도착할 수 있습니다.

4 (1) 매주 월요일에 휴관이라고 하였습니다.
　(2) '동절기'는 겨울철 기간을 말합니다.
　(3) '하절기'는 여름철 기간을 말합니다.
　(4) '할인'은 일정한 값에서 얼마를 빼는 것입니다.

5 (1) ① 의형제(義兄弟): 혈연이 아닌 사람과 혈연과 같은 관계로 맺는 형제.
　　② 형부(兄夫): 언니의 남편을 이르거나 부르는 말.
　(2) 빈칸에 들어갈 말은 兄(형 형) 자입니다.

136쪽~137쪽 · 4주에는 무엇을 공부할까? **②**

1-1 중지하고　　　　1-2 계속하고
2-1 다른　　　　　2-2 (2) ○

1-1~1-2 '멈추고'는 '사물의 움직임이나 동작이 그치고.'라는 뜻입니다. '멈추고'와 뜻이 비슷한 말은 '중지하고', '중단하고' 등이 있으며, 뜻이 반대인 말은 '계속하고' 등이 있습니다.

2-1~2-2 '틀린'은 '셈이나 사실 따위가 그르게 되거나 어긋난.'이라는 뜻이고, '다른'은 '비교가 되는 두 대상이 서로 같지 않은.'이라는 뜻입니다.

1일

139쪽 · 똑똑한 하루 독해 미리 보기

❶ 구두　　❷ 교회　　❸ 병

140쪽~141쪽 · 똑똑한 하루 독해

1 (2) ○　　2 유미　　3 빨간 구두야, 좀 더 신나게
춤을 추어라.　　4 ❶ 빨간　❷ 춤　❸ 천사

1 낱말 '좋아하는'에 있는 'ㅎ' 받침은 소리가 나지 않으므로 '좋아하는'은 (2) [조아하는]으로 소리 납니다.

2 카렌은 빨간 구두를 신고 교회에 갔고, 할머니가 병이 났을 때에도 빨간 구두를 신고 축제를 찾아다니며 춤만 추었습니다.

3 카렌 앞에 천사가 나타나 "빨간 구두야, 좀 더 신나게 춤을 추어라."라고 말하자 구두가 제멋대로 움직여 카렌은 춤추는 것을 멈출 수 없게 되었습니다.

　　채점 기준
　　좀 더 신나게 춤을 추라는 내용이 들어가 있으면 정답
　　으로 합니다.

4 카렌의 행동을 떠올리며 일이 일어난 차례에 맞게 빈칸에 알맞은 말을 각각 써 봅니다.

142쪽 · 똑똑한 하루 독해 어휘

1 (1) 수군거렸다　　(2) 제멋대로
2 (1) 침침하다　　(2) 밝다

1 맞춤법에 맞는 낱말은 각각 (1) '수군거렸다'와 (2) '제멋대로'입니다.

2 제시된 문장에 쓰인 '어두워서'는 '눈이 잘 보이지 않거나 귀가 잘 들리지 않아서.'라는 뜻입니다. '침침하다'는 '눈이 어두워 물건이 똑똑히 보이지 않고 흐릿하다.'는 뜻으로 '어둡다'와 뜻이 비슷한 낱말이고, '밝다'는 '감각이나 지각이 뛰어나다.'는 뜻으로 '어둡다'와 뜻이 반대인 낱말입니다.

(왜 틀렸을까?)
・**심심하다:** 하는 일이 없어 지루하고 재미가 없다.
・**밟다:** 발을 들었다 놓으면서 어떤 대상 위에 대고 누른다.

143쪽 · 똑똑한 하루 독해 게임

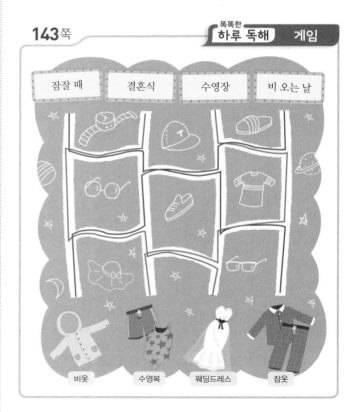

◎ 잠잘 때 어울리는 옷인 잠옷, 결혼식에 어울리는 옷인 웨딩드레스, 수영장에 어울리는 옷인 수영복, 비 오는 날 어울리는 옷인 비옷을 찾아 각각 바르게 사다리 타기를 해 봅니다.

2일

145쪽 — 하루 독해 미리 보기

1 회복 **2** 균형

146쪽~147쪽 — 하루 독해

1 (1) ○ **2** 깊이 잠들어 있을 때 등 **3** ①
4 ❶ 회복 ❷ 보충

1 ㉠『 』은 밥을 꼭 먹거나 숨을 꼭 쉬어야 되는 것처럼 잠도 꼭 자야 한다는 뜻입니다.

(더 알아보기)
'마찬가지로'는 '사물의 모양이나 일의 형편이 서로 같게.'라는 뜻입니다.

2 성장 호르몬은 주로 깊이 잠들어 있을 때 나오기 때문에 잠을 충분히 자야 키도 크고 몸의 균형도 잡힌다고 하였습니다.

채점 기준
성장 호르몬이 주로 깊이 잠들어 있을 때 나온다는 내용이 들어가게 썼으면 정답으로 합니다.

3 앞의 내용이 뒤의 내용의 원인이나 근거, 조건 따위가 될 때 사용하는 말인 ①'그래서'가 들어가야 합니다.

(왜 틀렸을까?)
② **그리고**: 서로 비슷한 내용의 두 문장을 이어 주는 말입니다.
③ **그러나**: 서로 반대되는 내용을 이어 주는 말입니다.
④ **하지만**: 앞 내용과 뒷 내용이 다르거나 반대일 때 이어 주는 말입니다.
⑤ **왜냐하면**: '왜 그러냐 하면'이라는 뜻을 가진 이어 주는 말입니다.

4 잠을 자는 동안 우리 몸은 병균과 싸울 수 있을 만큼 튼튼해지고, 상처도 빨리 회복되며 성장 호르몬이 나오기 때문에 키가 크고 몸의 균형이 잡힙니다. 또한 우리 몸은 활발한 활동을 멈추고 쉬면서 힘을 보충할 수 있습니다.

148쪽 — 하루 독해 어휘

1 (1) 기쁨 (2) 알림 (3) 그림 (4) 만남
2 (1) 느려진다 (2) 늘어났다

1 낱말의 형태가 바뀌지 않는 부분에 받침 'ㅁ'을 붙여서 다른 형태의 낱말을 만들어 봅니다.

(더 알아보기)
받침 'ㅁ'을 넣어 낱말의 형태 더 바꾸어 보기 예
• 다르다 → 다름
• 부르다 → 부름
• 알다 → 앎
• 추다 → 춤
• 살다 → 삶

2 '느려지다'와 '늘어나다'의 뜻에 주의하며 문장에 알맞은 낱말을 각각 찾아봅니다.

149쪽 — 하루 독해 게임

(곰 , 뱀 , ~~사자~~ , 개구리 , 남생이 , 너구리 , 다람쥐 , 고슴도치)은/는 겨울잠을 잔다.

○ 그림을 살펴보면 곰, 다람쥐, 뱀, 고슴도치, 너구리, 개구리, 남생이는 겨울잠을 잔다는 사실을 알 수 있습니다.

(더 알아보기)
겨울잠을 자지 않는 동물 알아보기 예

• 청설모
• 호랑이
• 여우
• 고라니
• 토끼

3일

151쪽

<똑똑한> 하루 독해 미리 보기

❶ 불량 ❷ 잘못

152쪽~153쪽

<똑똑한> 하루 독해

1 ② 2 그 돈을 빼앗는 등 3 두나
4 ❶ 돈 ❷ 역할극

1 이 글에 등장하는 인물은 영우, 현철, 호빈, 중학, 선생님입니다.

2 선생님께서는 영우, 현철이, 호빈이, 중학이에게 역할극을 시키며 영우와 현철이가 돈을 호주머니에 넣어 가지고 있는데 불량 학생이 그 돈을 빼앗는 장면을 연기하라고 하셨습니다.

> **채점 기준**
> 불량 학생 역을 맡은 학생이 연기할 내용을 바르게 썼으면 정답으로 합니다.

3 호빈이와 중학이가 친구를 괴롭히며 돈을 뺏는 장면을 연기하다 반성의 눈물을 흘린 상황에 알맞은 일을 말한 친구는 두나입니다.

> **(왜 틀렸을까?)**
> 호빈이와 중학이가 어려운 아이들을 위해 자신의 용돈을 기부한 일과 친구를 괴롭히는 내용의 역할극을 한 후 자신의 잘못을 반성하며 흐느껴 우는 일은 자연스럽게 이어지는 내용이 아닙니다.

4 선생님께서는 어떤 문제를 해결하기 위해 아이들에게 역할극을 시켰는지, 역할극을 한 후 아이들에게는 어떤 변화가 있었는지 생각하며 글의 내용을 정리하여 씁니다.

154쪽

<똑똑한> 하루 독해 어휘

1 (3) ○ 2 (1) 배우 (2) 무대 (3) 관객

---

1 '손뼉'은 글자와 소리가 같은 낱말로, '손뼉'으로 써야 합니다.

> **(왜 틀렸을까?)**
> (1) 손뼉을 치며 노래를 불렀다.
> (2) 갑작스러운 손뼉 소리에 화들짝 놀랐다.

2 「파란 마음 하얀 마음」에서 아이들은 역할극을 하고 있습니다. 역할극에 필요한 요소들에 대한 설명을 보고, 보기 에서 알맞은 낱말을 각각 찾아 씁니다.

155쪽

<똑똑한> 하루 독해 게임

즐거움
슬픔
설렘
두려움
신남
화남
질투
기쁨

○ 「파란 마음 하얀 마음」에서 중학이와 호빈이는 괴롭힘을 당하는 친구의 마음을 헤아리지 못하고 영우와 현철이의 돈을 빼앗으며 친구를 괴롭혔습니다. 친구의 표정을 보고 친구의 마음을 알맞게 짐작할 수 있도록 각 표정을 잘 살펴보고, 표정에 맞는 마음을 따라 길을 찾아봅니다.

157쪽 똑똑한 하루 독해 미리 보기

❶ 칠교판 ❷ 도형 ❸ 칠교놀이

158쪽~159쪽 똑똑한 하루 독해

1 (2) ×   2 ②   3 더 빨리 만들어 보는 등
4 ❶ 일곱 ❷ 도형

1 (2)는 직각 삼각형 5개, 정사각형 1개, 평행 사변형 1개로 만들 수 있는 모양이 아닙니다.

〔 더 알아보기 〕
칠교판으로 만들 수 있는 모양 더 알아보기 예

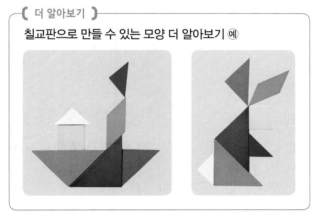

2 유럽에서는 칠교판을 '탱그램'이라는 이름으로 부릅니다.

〔 왜 틀렸을까? 〕
① **탱크**: 물, 가스, 기름 따위를 넣어 두는 큰 통.
④ **탱고**: 4분의 2박자 또는 8분의 4박자의 경쾌한 춤곡. 또는 그 음악에 맞추어 남녀가 짝을 이루어 추는 춤.
③ **밀리그램**, ⑤ **킬로그램**: 무게를 나타내는 단위.

3 칠교판으로 두 사람 이상이 모여 같은 모양을 더 빨리 만드는 놀이를 할 수 있다고 하였습니다.

채점 기준
같은 모양을 더 빨리 만든다는 내용이 들어가게 썼으면 정답으로 합니다.

4 칠교판과 칠교놀이는 무엇인지 생각하며 빈칸에 알맞은 답을 각각 써 봅니다.

160쪽 똑똑한 하루 독해 어휘

1 (1) 도형 (2) 장난감
2 (1) 직각 삼각형 (2) 평행 사변형 (3) 정사각형

1 (1) '도형'은 '삼각형, 사각형, 원, 구 등과 같이 점, 선, 면, 체 등으로 이루어진 꼴.'을 뜻하는 낱말로 '삼각형', '사각형', '원'을 모두 포함하는 낱말입니다.
(2) '장난감'은 '아이들이 가지고 노는 여러 가지 물건.'이라는 뜻으로, '칠교판', '인형', '팽이'를 모두 포함하는 낱말입니다.

〔 왜 틀렸을까? 〕
• **로봇**: 인간과 비슷한 형태를 가지고 걷기도 하고 말도 하는 기계 장치.
• **숫자**: 수를 나타내는 글자.

2 칠교판을 이루는 세 가지 도형인 정사각형, 직각 삼각형, 평행 사변형 세 가지 도형의 모양을 바르게 구별해 보고, 각 도형의 모양을 보고 알맞은 이름을 보기 에서 각각 찾아 씁니다.

161쪽 똑똑한 하루 독해 게임

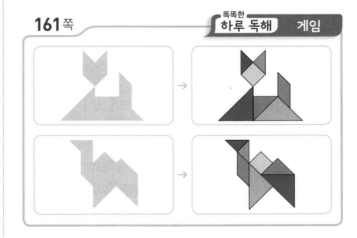

◉ 칠교판의 일곱 개 조각으로 여러 가지 모양을 만들어 볼 수 있습니다. 칠교판을 이루는 직각 삼각형 5개, 정사각형 1개, 평행 사변형 1개의 총 7개 도형을 모두 이용해 고양이와 낙타 모양을 각각 완성해 봅니다.

163쪽 · 똑똑한 하루 독해 · 미리 보기

1 혼잡   **2** 대중교통

164쪽~165쪽 · 똑똑한 하루 독해

1 ②, ④   **2** 주변 교통이 매우 혼잡하고, 주차 공간이 부족할 것 등   **3** ❶ 천재 ❷ 사진 ❸ 풍경

1 불꽃놀이는 우천 시 취소된다고 하였으므로 일기예보에서 비가 오는 날을 찾아보아야 합니다. 비가 오는 날은 우산 그림이 있는 4월 6일(일)과 4월 8일(화)입니다.

【 왜 틀렸을까? 】

①	구름이 끼고 흐린 날씨라는 뜻입니다.
③, ⑤	맑은 날씨라는 뜻입니다.

2 축제 기간 동안 주변 교통이 매우 혼잡하고, 주차 공간이 부족할 것으로 예상되니 대중교통을 이용해 달라고 하였습니다.

> **채점 기준**
> 주변 교통이 혼잡하다는 내용과 주차 공간이 부족하다는 내용이 모두 잘 들어가게 썼으면 정답으로 합니다.

3 제4회 벚꽃 축제는 어디서 열리고, 어떤 행사들이 이루어지는지 떠올리며 빈칸에 알맞은 내용을 각각 써넣어 봅니다.

166쪽 · 똑똑한 하루 독해 · 어휘

1 (1) 우천 (2) 폭설   **2** (1) 벚꽃 (2) 달맞이꽃

1 (1) 비가 오는 날씨에 달팽이가 우산을 쓰고 가고 있으므로 '비가 오는 날씨.'라는 뜻의 '우천'이 들어가는 것이 알맞습니다.

(2) 눈이 내리는 날씨이므로 '갑자기 많이 내리는 눈.'이라는 뜻의 '폭설'이 알맞습니다.

2 '벚꽃'과 '달맞이꽃'이 각각 맞춤법에 맞는 꽃 이름입니다.

167쪽 · 똑똑한 하루 독해 · 게임

❶ 머드   ❷ 눈꽃   ❸ 나비   ❹ 마임

○ 보령에서는 진흙을 이용한 축제인 머드 축제가, 대관령에서는 눈이 많이 오는 날씨를 활용한 눈꽃 축제가, 함평에서는 우리나라의 대표적인 친환경 축제 중 하나인 나비 축제가, 춘천에서는 말을 하지 않고 움직임으로 여러 가지를 표현하는 연극인 마임 축제가 열립니다.

168쪽~169쪽 · 평가 · 누구나 100점 테스트

1 ㉠   **2** (3) ○   **3** 계속하고   **4** ⑤
5 성장 호르몬   **6** 손뼉   **7** ㉡   **8** 수아
9 천재 공원 일대(천재 공원)   **10** (1) ○

1 일이 일어난 때를 알려 주는 말은 '봄'입니다.

> 【 더 알아보기 】
> **시간을 나타내는 말**
> 일이 일어난 때를 알려 주는 말을 '시간을 나타내는 말'이라고 합니다. ⑩ 어제, 작년, 지난여름, 오늘, 요즈음, 내일, 내년, 다음에 등

2 카렌이 병이 나신 할머니는 돌보지 않고 축제를 찾아다니며 춤만 추자 천사는 카렌에게 춤을 멈출 수 없는 벌을 내렸습니다.

3 '멈추고'는 '사물의 움직임이나 동작이 그치고.'라는 뜻입니다. '멈추고'와 뜻이 반대인 말은 '끊지 않고 이어 나가고.'라는 뜻의 '계속하고'입니다.

4 잠을 자는 동안 몸은 활발한 활동을 멈추고 쉬면서 힘을 보충할 수 있다고 하였습니다.

5 성장 호르몬은 주로 깊이 잠들어 있을 때 나오기 때문에 잠을 충분히 자야 키도 크고 몸의 균형도 잡힌다고 하였습니다.

6 '손뼉'은 글자와 소리가 같은 낱말로, '손뼉'으로 써야 합니다.

7 '도형'은 '삼각형, 사각형, 원, 구 등과 같이 점, 선, 면, 체 등으로 이루어진 꼴.'을 뜻하는 낱말로, '정사각형', '직각 삼각형', '평행 사변형'을 모두 포함하는 낱말입니다.

> **〔 왜 틀렸을까? 〕**
> * **장난감**: 로봇, 인형, 블록 등을 모두 포함하는 말.
> * **놀이**: 숨바꼭질, 소꿉놀이, 술래잡기, 인형놀이 등을 모두 포함하는 말.

8 칠교놀이는 혼자서도 할 수 있지만 두 사람 이상이 모여 같은 모양을 더 빨리 만들어 보는 놀이를 할 수도 있다고 하였습니다.

9 장소를 나타내는 말을 찾아봅니다.

10 불꽃놀이는 우천 시 취소된다고 하였습니다. '우천'은 '비가 오는 날씨.'를 뜻하는 말입니다.

170쪽~**175**쪽　**특강**　창의·융합·코딩

1 ❶ 혼잡　❷ 회복　❸ 갖가지

2

| ❶ ↓ | ❷ → | ❸ → | ❹ ↓ | ❺ → | ❻ ↓ |

3

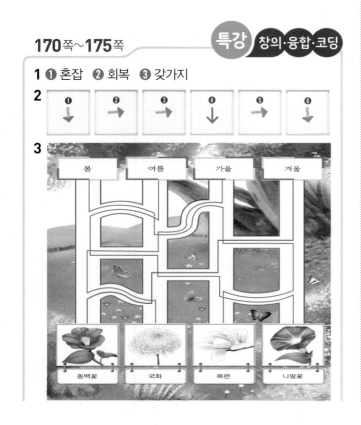

4 (1) 내놓는　(2) 따로　(3) 진후

5 (1) ① 북 두 칠 성　② 칠 석
　　(2) 七 顚 八 起

1 4주에서 배운 낱말을 떠올리며 빈칸에 알맞은 답을 씁니다.

2 ❶~❸까지 화살표 방향대로 이동한 뒤, 어느 쪽으로 이동해야 새우잠을 거쳐 갈 수 있을지 화살표를 그려 봅니다. 잠과 관련된 우리말을 모두 지나가려면 아래와 같이 가면 됩니다.

3 봄에는 목련, 여름에는 나팔꽃, 가을에는 국화, 겨울에는 동백꽃이 핍니다.

4 (1) '배출'은 안에서 밖으로 밀어 보냄을 뜻합니다.
　　(2) 생활 쓰레기와 음식물 쓰레기는 뒤섞어서 한데 합쳐서 배출하면 안 됩니다.
　　(3) 일몰 후는 해가 진 뒤를 뜻합니다.

5 (1) ① 북두칠성(北斗七星): 큰곰자리에서 국자 모양을 이루며 가장 뚜렷하게 보이는 일곱 개의 별.
　　② 칠석(七夕): 음력으로 칠월 초이렛날의 밤. 이때에 은하의 서쪽에 있는 직녀와 동쪽에 있는 견우가 오작교에서 일 년에 한 번 만난다는 전설이 있음.
　　(2) 빈칸에 들어갈 말은 七(일곱 칠) 자입니다.

똑똑한

하루 배우는 즐거움! 쌓이는 기초 실력! 시/리/즈

공부 습관을
만들자!

하루 1□분!

과목	교재 구성	과목	교재 구성
하루 독해	예비초~6학년 각 A·B (14권)	하루 VOCA	3~6학년 각 A·B (8권)
하루 어휘	예비초~6학년 각 A·B (14권)	하루 Grammar	3~6학년 각 A·B (8권)
하루 글쓰기	예비초~6학년 각 A·B (14권)	하루 Reading	3~6학년 각 A·B (8권)
하루 한자	예비초: 예비초 A·B (2권) 1~6학년: 1A~4C (12권)	하루 Phonics	Starter A·B / 1A~3B (8권)
하루 수학	1~6학년 각 A·B (12권)	하루 봄·여름·가을·겨울	1~2학년 각 2권 (8권)
하루 계산	예비초~6학년 각 A·B (14권)	하루 사회	3~6학년 1·2학기 (8권)
하루 도형	예비초 A·B, 1~6학년 6단계 (8권)	하루 과학	3~6학년 1·2학기 (8권)
하루 사고력	1~6학년 각 A·B (12권)	하루 안전	1~2학년 (2권)

정답은
이안에
있어!

배움으로 행복한 내일을 꿈꾸는
천재교육 커뮤니티 안내 `. . .`

교재 안내부터 구매까지 한 번에!
천재교육 홈페이지

자사가 발행하는 참고서, 교과서에 대한 소개는 물론
도서 구매도 할 수 있습니다. 회원에게 지급되는 별을 모아
다양한 상품 응모에도 도전해 보세요!

다양한 교육 꿀팁에 깜짝 이벤트는 덤!
천재교육 인스타그램

천재교육의 새롭고 중요한 소식을 가장 먼저 접하고 싶다면?
천재교육 인스타그램 팔로우가 필수!
깜짝 이벤트도 수시로 진행되니 놓치지 마세요!

수업이 편리해지는
천재교육 ACA 사이트

오직 선생님만을 위한, 천재교육 모든 교재에 대한 정보가 담긴
아카 사이트에서는 다양한 수업자료 및 부가 자료는 물론
시험 출제에 필요한 문제도 다운로드하실 수 있습니다.

https://aca.chunjae.co.kr

천재교육을 사랑하는 샘들의 모임
천사샘

학원 강사, 공부방 선생님이시라면 누구나 가입할 수 있는 천사샘!
교재 개발 및 평가를 통해 교재 검토진으로 참여할 수 있는 기회는 물론
다양한 교사용 교재 증정 이벤트가 선생님을 기다립니다.

아이와 함께 성장하는 학부모들의 모임공간
튠맘 학습연구소

튠맘 학습연구소는 초·중등 학부모를 대상으로 다양한 이벤트와 함께
교재 리뷰 및 학습 정보를 제공하는 네이버 카페입니다.
초등학생, 중학생 자녀를 둔 학부모님이라면 튠맘 학습연구소로 오세요!